Die Wehrmacht
im Kampf

BAND 16

HANS KISSEL

Angriff
einer Infanteriedivision

Die 101. leichte Infanteriedivision

in der Frühjahrsschlacht bei Charkow

Mai 1942

Mit 10 Kartenskizzen

1 Gliederungsskizze

und 1 Abbildung

HEIDELBERG 1958

𝕾𝔠𝔥𝔞𝔯𝔫𝔥𝔬𝔯𝔰𝔱 𝔅𝔲𝔠𝔥𝔨𝔞𝔪𝔢𝔯𝔞𝔡𝔰𝔠𝔥𝔞𝔣𝔱

Inhalt

5

VIII. *Die Abschlußlage* 115

Anhang

Skizzen

Vorwort

Die *Infanterie* als diejenige Truppengattung, die ihren Kampf zu Fuß durchficht, wird trotz atomarer Waffen und hochbeweglicher Panzer- und Fliegerverbände von höchster Durchschlagskraft auch in einem künftigen Krieg eine bedeutsame Aufgabe zu erfüllen haben. Sie wird sich wie seither nicht nur auf die Verteidigung, sondern ebensosehr auf den Angriff einzustellen haben. Sie wird sich, bedingt durch Auftrag, Gelände, Witterung und gegnerische Kampfmittel, auch weiterhin nicht selten auf sich selbst und ihre infanteristischen Waffen gestellt sehen.

In der vorliegenden Studie soll deshalb an Hand eines Gefechtsbeispiels aus dem Zweiten Weltkrieg versucht werden, die Grundsätze des infanteristischen Angriffs zur Darstellung zu bringen. Die Wahl fiel auf ein Beispiel, das sich in ähnlicher Form im Ersten Weltkrieg hätte abspielen können, das im Zweiten Weltkrieg die Regel bildete, das in Korea möglich war und das auch in Zukunft denkbar ist.

Daß das geschilderte Gefecht bis zu seinen letzten Einzelheiten örtlich und zeitlich richtig rekonstruiert werden konnte, ist den zahlreichen Quellen zu verdanken, die dem Verfasser zur Verfügung standen:

1. Kriegstagebuch der 101. leichten Infanteriedivision Nr. IV (Führungsabteilung).
2. Kriegstagebuch der 101. leichten Infanteriedivision (Qu.-Abt.).
3. Kriegstagebuch des Jägerregiments 228.

4. Karten, Aufzeichnungen und Erinnerungen des Verfassers, damals Führer des Jägerregiments 229.

5. Aufzeichnungen, Erlebnisberichte, Karten, schriftliche und mündliche Auskünfte folgender Herren:

   a) Generalmajor a. D. Hans Doerr, (13b) Großkarolinenfeld bei Rosenheim, damals Chef des Stabes LII. A.K.

   b) Oberst i. G. a. D. Hans Joachim Ludendorff, Reutlingen, Konradin-Kreutzer-Straße 5, damals Erster Generalstabsoffizier der 101. leichten Infanteriedivision.

   c) Major i. G. a. D. Dr. med. Hans Schäfer, Tübingen-Lustnau, Äulestraße 2, damals Adjutant des Jägerregiments 228.

   d) Major a. D. Wilhelm Hoßfeld, Erlangen, An den Kellern 7, damals Führer des I./Jägerregiments 229.

   e) Major a. D. Hans Bauernfeind, Straubing/Ndb., Ludwigsplatz 32, damals Führer des II./Jägerregiments 229.

   f) Hauptmann a. D. Willi Weinmann, Oberlehrer, (14a) Waldbach, Kreis Öhringen, damals Führer der 8./Jägerregiments 228.

6. Denkschrift anläßlich des Treffens der ehem. 101. Jägerdivision am 31. 7./1. 8. 1954 in Offenburg: „Frühjahrsschlacht südlich Charkow im Mai 1942".

7. „Deutschland im Kampf", Mai 1942, herausgegeben von Ministerialdirektor A. J. Berndt, Reichspropagandaministerium, und Oberst von Wedel, Oberkommando der Wehrmacht, Seiten 15–18.

8. „Wehrwissenschaftliche Rundschau", Frankfurt am Main, Heft 1/1954: Generalmajor a. D. Hans Doerr / „Der Ausgang der Schlacht um Charkow im Frühjahr 1942".

9. „Allgemeine Schweizerische Militär-Zeitschrift", Frauenfeld, Heft 8/1955: Oberst a. D. H. Selle / „Die Frühjahrsschlacht von Charkow vom 12.–27. Mai 1942".

10. Kurt v. Tippelskirch: „Geschichte des Zweiten Weltkrieges", Bonn, 1954, ungekürzte Volksausgabe Seiten 240–242.

Der Verfasser spricht sämtlichen Herren seinen Dank aus für die Überlassung schriftlicher Unterlagen und für die jederzeit bereitwillig erteilten schriftlichen und mündlichen Auskünfte.   Hans Kissel

I.

Die Lage bei der deutschen Heeresgruppe Süd

Mitte Januar 1942 durchbrachen starke russische Kräfte die deutsche Verteidigungsstellung südlich von Charkow. Die deutsche Heeresgruppe Süd vermochte diesen Einbruch in harten Kämpfen aufzufangen und einzudämmen; der entstandene Sack war aber nicht mehr ganz zu beseitigen.

Skizze 1 zeigt den seit dem 10. Februar auf dem Westufer des Donez bestehenden russischen Brückenkopf Isjum. Dieser ist nahezu 100 km tief und ebenso breit. In der Mitte seiner Grundlinie liegt die Stadt Isjum. Der südliche Eckpfeiler Sslawjansk, der dem Gegner die Benutzung der Eisenbahnlinie nach Losowaja verwehrt und gegen den sich monatelang heftigste Angriffe richteten, sowie der nördliche Schulterpunkt Balakleja blieben in deutscher Hand.

Da sich dieser operative Brückenkopf dem Russen als Ausgangsbasis für weitere Unternehmungen mit weitreichender Zielsetzung anbot und er zugleich eine ernste Flankenbedrohung für deutsche Vorhaben bildete, mußte die Zurückgewinnung der Donezlinie ins Auge gefaßt werden.

Die Heeresgruppe Süd faßte deshalb den Entschluß, dieses Ziel durch eine Zangenoperation zu erreichen. Bei dieser sollten die Armeegruppe Kleist (Teile der 1. Pz.Armee und der 17. Armee) aus dem Raum Sslawjansk–Alexandrowka in allgemein nördlicher Richtung und Teile der links anschlie-

9

ßenden 6. Armee von Taranowka aus nach Südosten angreifen, sich bei Isjum vereinigen und so die westlich des Donez
stehenden Feindkräfte vernichten. Als Zeitpunkt für diese
Operation, die den Decknamen „Fridericus" erhielt, wurde
die zweite Maihälfte vorgesehen.

Dem XXXXIV. A.K., das aus dem Raum Sslawjansk antreten soll, wird die württembergisch-badische 101. le. Inf.Div.
unterstellt. Diese versammelt sich ab Mitte April bei und
südlich Sslawjansk.

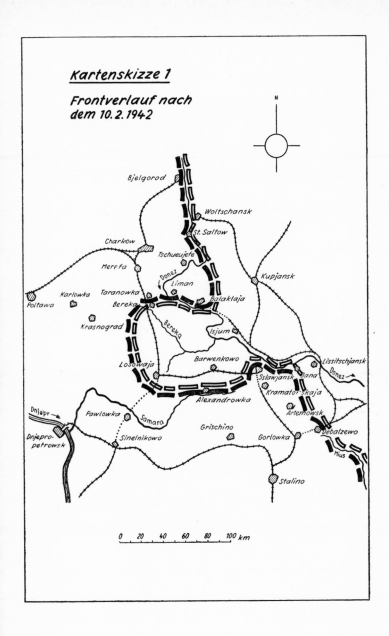

Kartenskizze 1

Frontverlauf nach dem 10.2.1942

N

Bjelgorod

Woltschansk

St. Saltow

Charkow

Tschueujefe

Merefa

Donez

Kupjansk

Liman

Poltawa

Karlowka

Taranowka

Balaklaja

Bereka

Krasnograd

Bereka

Isjum

Barwenkowo

Lissitschjansk

Losowaja

Sslawjansk

Dana

Donez

Kramator skaja

Alexandrowka

Artemowsk

Dnjepr

Pawlowka

Samara

Debalzewo

Dnjepro-
petrowsk

Sinelnikowo

Grischino

Gorlowka

Mius

Stalino

0   20   40   60   80   100 km

II.

Die Versammlung der 101. leichten Infanteriedivision

Wie die meisten der über Winter schwer ringenden deutschen Verbände, war auch die 101. le. Inf.Div. auseinandergerissen worden. Mit wenigen divisionseigenen und zahlreichen fremden Truppenteilen kämpfte sie bei Troizkoje, etwa 100 km südostwärts von Sslawjansk. Ihr Jäg.Rgt. 228 und zwei Bataillone des Jäg.Rgt. 229 waren ihr genommen und nach Sslawjansk gebracht worden, wo diese Verbände im Rahmen der 257. Inf.Div. wesentlichen Anteil an der Behauptung des Eckpfeilers Sslawjansk hatten. Teile ihres Art.Rgt. 85, ihres Pi.Batl. 101, ihrer Pz.Jäg.Abt. 101 und ihrer rückwärtigen Dienste hatten schon im Dezember 1941 bei der Verlegung der Division aus dem Raum Charkow nach Süden mangels ausreichender Beweglichkeit zurückbleiben müssen. Die Einheiten nahmen an den Kämpfen um diese Stadt teil, und noch am 12. Mai 1942 geht dort die gesamte 1. Battr. des Art.Rgt. 85 „infolge Feindeinwirkung", wie es in der Meldung heißt, verloren.

Am 17. April 1942 bezieht die Führungsabteilung des Divisionsstabes ihren neuen Gefechtsstand in Kramatorskaja–Neustadt. Ab 20. April treffen – mit erheblichen Zeitabständen – die bei Troizkoje und im Raum Charkow eingesetzt gewesenen Verbände der Division im Versammlungsraum südlich von Sslawjansk ein. Zu den zuerst eintreffenden

Truppenteilen gehört die Masse des Jäg.Rgt. 229, zu den letzten die IV. (schwere Feldhaubitz-) Abt. des Art.Rgt. 85, die erst am 16. Mai ankommt. Neben der dringend notwendigen Auffrischung und Vervollständigung der Ausrüstung haben sich alle Verbände und insbesondere die beiden Jägerregimenter mit ganzer Kraft der Ausbildung zu widmen. Zu üben sind in erster Linie das Angriffsgefecht mit dem Kampf gegen Feldstellungen und gegen Panzer sowie der Übergang vom Angriff zur Verteidigung.

Am 21. April wird der erste Generalstabsoffizier der Division (Ia) durch den Chef des Generalstabes des Korps davon unterrichtet, daß die Division im zweiten oder dritten Drittel des Monats Mai im Rahmen eines Angriffes in Richtung Isjum beiderseits der sich von Sslawjansk-West nach Nordwesten ziehenden Seenkette angreifen soll. Der Schwerpunkt liege westlich der Seenkette. Die Division habe sich darauf einzustellen, daß sie voraussichtlich in der Nacht vom 5./6. Mai zwei Bataillonsabschnitte an der Nord- und Nordwestfront von Sslawjansk übernehmen soll.

Am folgenden Tag wird mit der im Raum Sslawjansk eingesetzten 257. Inf.Div. vereinbart, daß der Ic der 101. Div. sämtliche Gefangenen vernimmt, welche in dem die 101. Div. interessierenden Abschnitt gemacht werden. Der Kommandeur und der Ia der 101. Div. orientieren sich während der folgenden Tage von den Höhen nordwestlich und südwestlich der Stadt Sslawjansk über das voraussichtliche Angriffsgelände. Skizze 2 zeigt dieses Gelände sowie den Verlauf der Front und die Abschnittsgrenzen der 257. Inf.Div.

Die erste Planbesprechung über das Unternehmen „Fridericus" findet am Vormittag des 5. Mai auf dem Korpsgefechtsstand statt. Die zweite Besprechung am 8. Mai zeitigt wesentliche Änderungen gegenüber der ursprünglichen Planung. Vor allem wird die Division nicht mehr beiderseits, sondern nur ostwärts der Seenkette angreifen. Doch können jetzt, obwohl noch zahlreiche Einzelheiten zu klären und Änderungen, wenn auch nicht von grundsätzlicher Art, denkbar sind, die Führer des Jäg.Rgt. 228 und des Art.Rgt. 85 als erste Offiziere in den beabsichtigten Angriff eingewiesen werden. Den unterstellten Verbänden darf die Angriffsabsicht noch nicht bekanntgegeben werden.

Der Regimentsstab 228 wird ab 9. Mai der 257. Inf.Div. unterstellt; er übernimmt deren linke Abschnittshälfte, die sich mit dem künftigen Angriffsstreifen der 101. le. Inf.Div. deckt. Die in diesem Streifen eingesetzten Teile der 257. Div. werden im Laufe der folgenden Nächte durch das II./228, die Radf.Abt. 101 und das III./228 herausgelöst. Letzterem, das seinen Abschnitt erst in der Nacht vom 15./16. Mai übernimmt, wird die durch schwere Infanteriewaffen verstärkte 11. Kp. des Jäg. Rgt. 229 unterstellt, die im Angriffsstreifen ihres Regiments (Irrenhaus, 2 km nordostwärts Glubokaja Makatycha, einschl. – Höhe 198,0 einschl.) zum Einsatz gelangt. Die III./Art.Rgt. 85 tritt am 10. Mai ebenfalls unter das Kommando der 257. Div.; die Abteilung löst die links eingesetzten Teile des Art.Rgt. 257 ab, die, wie es im Befehl heißt, „zur Abwehr starker russischer Angriffe gegen Majaki benötigt werden".

Am Vormittag des 12. Mai erfolgt auf dem Divisionsgefechtsstand in Kramatorskaja-Neustadt die Einweisung der Führer des Jäg.Rgt. 229 und der Radf.Abt. 101 in das bevorstehende Unternehmen. Die Grenzen der Gefechtsstreifen, die ersten Angriffsziele und das Tagesziel (das Höhengelände ostwärts von Golaja Dolina) werden mitgeteilt. Den unterstellten Verbänden darf von dem Vorhaben noch immer nichts gesagt werden.

Mittags ergeht der schriftliche „Divisionsbefehl für die Verlegung in den Raum um Sslawjansk". Weil der Russe mit starken Kräften, dabei zahlreichen Panzern, und nach erbitterten Kämpfen die nördlich Majaki gelegene wichtige Höhe 165,5 genommen habe und weil mit Fortsetzung der Angriffe gerechnet werden müsse, sei die Verlegung weiterer Teile der 101. le. Inf.Div. in Frontnähe notwendig geworden. Die russischen Angriffe lassen alle Verlegungen und Ablösungen verständlich erscheinen und erleichtern die Tarnung des eigenen Vorhabens.

Am Nachmittag wird die 257. Inf.Div. schriftlich gebeten, die Minen, die an den auf einer beigefügten Planpause bezeichneten Stellen der Front verlegt sind, räumen zu lassen. Südwestlich des Irrenhauses, wo der Einsatz einer Sturmgeschütz-Einheit vorgesehen ist, sind auf 1000 m Breite sämtliche Minen aufzunehmen; sonst sind nur Gassen zu schaffen.

III.

Die Bereitstellung zum Angriff

a) Gelände und Feindstellung

Dem Jäg.Rgt. 228 ist das künftige Angriffsgelände bereits aus den Winterkämpfen vertraut. Die Radf.Abt. 101, die sich nordwestlich von Sslawjansk in Stellung befindet, lernt es jetzt kennen. Völlig unbekannt ist es dagegen dem Führer des Jäg.Rgt. 229, der sich am 13. Mai zum ersten Mal Einblick verschafft. Bei dieser Gelegenheit kann er auf dem Höhenrücken südlich Majaki russische Panzer beobachten, die dort in die Stellung der 257. Div. eingebrochen sind und nun die Front südlich davon von rückwärts bedrohen. Ein Gegenstoß des rechten Nachbarn wirft sie im Laufe des Vormittags wieder zurück.

Das gesamte Angriffsgelände ist ausgesprochen hügelig. Die Höhenunterschiede zwischen den Erhebungen und den Talsohlen betragen bis zu 100 m. Die nördliche Hälfte des künftigen Gefechtsstreifens der Division ist stark bewaldet und die südliche, die zur Seenkette abfällt, mit zahlreichen Ortschaften, Gärten und Obstplantagen bedeckt.

Nördlich des Irrenhauses verläuft die Front im Walde. Da dieser stellenweise dichtes Unterholz besitzt, Baumverhaue sowie Minensperren eine Spähtrupptätigkeit weitgehend ausschließen, ist der Stellungstruppe, die hier noch der 257. Div. angehört, sehr wenig über den genauen Verlauf und den Ausbau der russischen Stellung bekannt.

Gegenüber dem Irrenhaus, von dessen turmartigem Gebäudeteil in 400 m Entfernung der Waldrand sichtbar ist, liegen die Verhältnisse günstiger. Diesem zieht sich die vorderste Feindstellung entlang, die an Grabenstücken, Erdbunkern mit Scharten und Drahtsperren zu erkennen ist. Doch entzieht sich der Waldrand bald wieder der Sicht, weil er tiefer als der sich vom Irrenhaus über den Punkt 198,0 erstreckende Höhenrücken liegt und stark in Richtung Glubokaja Makatycha abfällt. Leider stehen keine Luftaufnahmen zur Verfügung, aus denen sich Einzelheiten feststellen ließen. In westlicher Richtung wird der Blick durch den Höhenrücken begrenzt, der von Scharabany langsam nach Süden abfällt und fast bis Perepletki reicht. Von dort kann der Gegner die deutsche Stellung sicherlich gut überblicken.

Von Süden her gestattet die zwischen Sslawjansk und dem südlichsten See gelegene beherrschende Höhe 166,0 einen hervorragenden Einblick in die Flanke der Stellung. Der Eindruck, daß sich die vorderste Feindlinie am Waldrand entlangzieht, bleibt bestehen, obwohl Einzelheiten infolge der großen Entfernung und wegen des kleinen Waldstückes bei Glubokaja Makatycha nicht zu erkennen sind.

Die Höhe 166,0 ermöglicht eine sehr gute Übersicht vor allem über die ganze südliche Hälfte des Angriffsstreifens der Division. Da es hier keinen Wald gibt, ist das Gelände kilometerweit einzusehen. Nur an den Seen ziehen sich Dörfer und Obstpflanzungen entlang. Hinter der vordersten riesigen Pflanzung sind die Hausdächer von Perepletki zu erkennen. Klar läßt sich von hier aus auch die große Bedeutung ermessen, die dem Höhenrücken südlich von Scharabany für den Feind zukommt. Auf ihm befindet sich die Masse der Beobachtungsstellen seiner Artillerie und seiner schweren Infanteriewaffen.

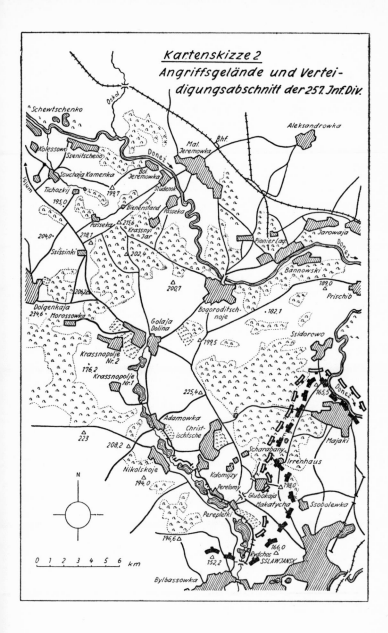

Kartenskizze 2

Angriffsgelände und Verteidigungsabschnitt der 257. Inf. Div.

Die vorderste Feindstellung ist auch hier an den Erdarbeiten und Drahthindernissen zu erkennen. Sie zieht sich von Glubokaja Makatycha, das sie einschließt, zum Südostrand der großen Obstpflanzung. Eine vorgeschobene Stellung befindet sich beim Punkt + 2,0, hart ostwärts des großen Sees. In der Tiefe sind Erdbefestigungen in der Linie Glubokaja Makatycha–Perepletki zu erkennen. Durch Spähtrupps und Gefangene ist bekannt geworden, daß sich vor sämtlichen Stellungen Minenfelder befinden; besonders stark seien die Straßen und Wege und vor allem die Brücken vermint. Daß die Stellungen sehr gut ausgebaut sind, ist anzunehmen, weil der Gegner monatelang Zeit dafür hatte und weil sein Fleiß und sein Geschick beim Stellungsbau bekannt sind.

Das ausgedehnte Waldgebiet nördlich von Glubokaja Makatycha ist nach der Karte und nach Gefangenenaussagen an Wegen arm und vielfach von Schluchten durchschnitten, die im allgemeinen von Nordosten nach Südwesten, also quer zur Angriffsrichtung verlaufen. Es wird deshalb zu Fuß schwierig zu begehen und abseits der Wege nicht zu befahren sein. Die vorhandenen Wege werden bestenfalls nur von leichten Fahrzeugen benutzt werden können. Zum Nachziehen der Masse der schweren Infanteriewaffen, der Gefechtsfahrzeuge und der Artillerie dürften lediglich die große Straße von Sslawjansk nach Isjum und der über Glubokaja Makatycha führende Weg in Frage kommen. Welche Schwierigkeiten der Bachübergang und der steile Anstieg hinter Glubokaja Makatycha bereiten werden, läßt sich allerdings noch nicht ermessen. Zuerst müssen die beiden gut ausgebauten Stützpunkte Glubokaja Makatycha und Brücke am Straßenknie genommen und die dort befindlichen Minensperren beseitigt sein.

Die Bereitstellung der Verbände der Division zum Angriff

wird bei und nördlich des Irrenhauses im Walde erfolgen. Südlich des Irrenhauses bietet sich das am Hinterhang gelegene Waldstück nordwestlich von Ssobolewka an. Nordwestlich von Sslawjansk können die Bereitstellungsräume an den Hinterhängen gewählt werden, die durchweg günstig liegen, so daß ein überraschender Angriffsbeginn auch noch bei Helligkeit möglich wäre.

b) Vorbereitung

Am Vormittag des 13. Mai trifft der Kommandierende General des LII. A.K., dem die 101. le. Inf.Div. unterstellt werden wird, mit seinem Chef und seinem Ia auf dem Div.-Gefechtsstand ein, um die Durchführung des vorgesehenen Angriffsunternehmens zu besprechen.

Am Nachmittag melden sich die Kommandeure des Pi. Batl. 213 und der II./Art.Rgt. 389 sowie die Chefs der 7. (Werferbattr.)/Art.Rgt. 389 und der 1./Sturmgeschütz-Abt. 245 als mit dem 16. Mai der 101. le. Inf.Div. unterstellt.

Gegen Abend des gleichen Tages wird die Division davon unterrichtet, daß das geplante Unternehmen „infolge der heftigen feindlichen Angriffe gegen Charkow" voraussichtlich schon am 17. Mai beginnen werde. Dementsprechend sollen die Marschbewegungen im wesentlichen am 16. Mai früh beendet sein. Daß die meisten Truppenteile infolge des aus den Winterkämpfen herrührenden Pferde- und Kraftfahrzeugmangels noch keineswegs voll beweglich sind, kann in Anbetracht des „mit begrenztem Ziel" geführten Angriffs in Kauf genommen werden. Das Artillerieregiment muß Stellungswechsel mit den Bespannungen weniger Batterien durchführen; die schweren Infanteriewaffen und die Gefechtsfahrzeuge können nur staffelweise nachgezogen werden.

Am 14. Mai vormittags findet auf dem Div.-Gefechtsstand eine erneute Besprechung mit den Kommandeuren des Jäg. Rgt. 229, des Art.Rgt. 85 und der Nachrichten-Abt. 101 statt. Der Führer des Rgt. 229 tritt dafür ein, daß die Werferbatterie und erst recht die unterstützenden Fliegerverbände keinesfalls auf nahegelegene Feindziele angesetzt werden. Die Streuung der Werfer sei für die meistens am Hinterhang liegenden Feindstellungen zu groß und die Flieger hätten noch kaum Zeit gehabt, sich mit den unübersichtlichen Verhältnissen im nördlichen Teil des Gefechtsstreifens vertraut zu machen. Kurzschüsse und Kurzwürfe würden den Erfolg des Angriffes in Frage stellen. Als geeignetes Ziel für die Werferbatterie wird die Beobachtungsstellen-Höhe südlich von Scharabany in Aussicht genommen. Die Stukaverbände sollen in erster Linie die in Christischtsche festgestellten feindlichen Reserven zerschlagen.

c) Durchführung

Am 15. Mai um 12.00 Uhr mittags übernimmt das LII. A.K. den Befehl im Angriffsstreifen vom Donez bis zur Seenkette; die 257. Inf.Div. und die 101. le. Inf.Div. treten unter das Kommando dieses Korps.

Um 21.00 Uhr desselben Tages gibt die 101. Div. ihren „Divisionsbefehl für Bereitstellung und Angriff" heraus. (Anhang.)

Als Gesamtbefehl umfaßt dieser sämtliche bisher mündlich erteilten Vor- und Einzelbefehle, deren Kenntnis von allgemeiner Bedeutung ist. Aus den Ziffern 2. und 5. ergibt sich als leitender Gedanke, daß die Division — mit Schwerpunkt rechts — die feindlichen Waldstellungen westlich Försterei und Irrenhaus durchbrechen und in umfassendem

Angriff die gegnerische Verteidigung um Scharabany–Kolomizy und Forsthaus, 1 km ostwärts Nordausgang Christischtsche, zerschlagen will. Anschließend soll über Nordteil Christischtsche und Höhe 225,4 vorgestoßen und als Tagesziel das
für die weiteren Kämpfe entscheidende Höhengelände ostwärts von Golaja Dolina gewonnen werden. Dem Angriff in
der südlichen Hälfte des Gefechtsstreifens kommt nur fes-
selnde Bedeutung zu. Die für einen Angriff gegen eine gut
ausgebaute Verteidigungsstellung sehr schwache Artillerie
verbietet ein gleichzeitiges Vorbereitungsfeuer auf der ganzen, fast 8 km breiten Divisionsfront. Die Feuerunterstüt-
zung muß den einzelnen Bataillonen nacheinander gewährt
werden, und diese können dementsprechend nur mit zeit-
licher Staffelung zum Einbruch antreten. Tag und Uhrzeit
des Angriffes stehen noch nicht endgültig fest.

Am Morgen des 16. Mai ist die Division mit fast allen Verbänden in der Stadt Sslawjansk versammelt. Sämtliche Mär-
sche verliefen planmäßig und reibungslos, nicht zuletzt deshalb, weil das warme und trockene Wetter die Straßen und
Wege fest und für alle Fahrzeuge passierbar gemacht hatte.
Denn nur die große Straße von Süden nach Sslawjansk und
wenige Straßen innerhalb der Stadtbezirke besitzen einen
festen Unterbau.

Auf Grund des während der Nacht bei den Regimentern
und den anderen selbständigen Verbänden eingegangenen
Divisionsbefehls findet bei diesen am frühen Vormittag die
Befehlsausgabe für die Bereitstellung und den Angriff statt.
Im Anschluß daran begeben sich die Batl.-Kommandeure
mit ihren Einheitsführern zur Erkundung und zur mündlichen Befehlserteilung ins Gelände. Währenddessen trifft
die Truppe in ihren Unterkünften in Sslawjansk die Vorbereitungen für den bevorstehenden Angriff.

In einer letzten Besprechung, die um 17.00 Uhr auf dem neuen Div.-Gefechtsstand in Sslawjansk-Nord stattfindet und an der sämtliche Kommandeure der Regimenter und der selbständigen Bataillone und Abteilungen teilnehmen, werden noch bestehende Unklarheiten beseitigt. Mit auffallendem Ernst streift der Div.-Kommandeur die größere Lage. Denn beim Divisionsstab weiß man, daß der Russe den deutschen Absichten zuvorgekommen und mit seiner Heeresgruppe Timoschenko bereits am 12. Mai zu seiner Frühjahrsoffensive mit den Zielen Charkow und Dnjepr angetreten ist. Über die Lage bei Charkow ist dem Div.-Kommandeur im einzelnen bekannt, daß der Feind diese Stadt aus Richtung Woltschansk und von Merefa her ernstlich bedroht, daß er bereits in Krasnograd sitzt und daß er sich weiter südlich im Vorgehen gegen die Samara befindet. Die Skizze 3 zeigt diese bedrohliche Lage.

Von alledem wissen die auf dem Div.-Gefechtsstand versammelten übrigen Offiziere noch nichts und erfahren, um die Bedeutung des bevorstehenden eigenen Angriffes zu unterstreichen, auch jetzt nur in großen Zügen die Tatsache, daß der Gegner in Richtung Charkow und Poltawa zur Offensive angetreten ist und einen gewissen Raumgewinn erzielen konnte. Der Wehrmachtbericht hatte erstmals am 14. Mai von Abwehrkämpfen „an mehreren Stellen der Donezfront" gesprochen und dann von dieser Front nichts mehr gebracht.

Während der Besprechung melden sich die Chefs der 2./Fla. 66 und der 6./Fla. 24. Sie erhalten den Auftrag, die Artilleriestellungen gegen feindliche Fliegerangriffe zu sichern.

Um 18.00 Uhr teilt der Chef des Stabes des LII. A.K. fernmündlich den X-Tag und die Y-Zeit mit: „17. Mai 1942, 03.05 Uhr". Da dem Div.-Kommandeur bekannt ist, daß die für

24

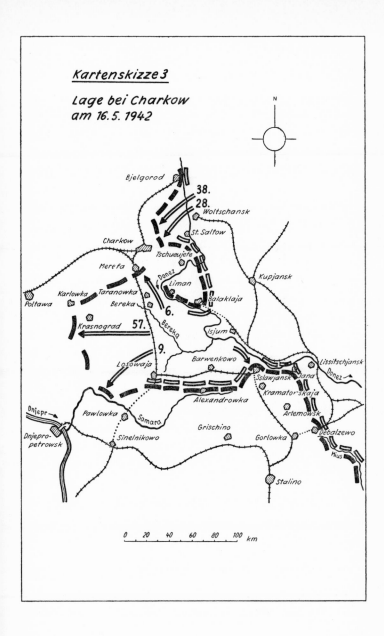

Kartenskizze 3

Lage bei Charkow am 16. 5. 1942

N

Bjelgorod
38.
28.
Woltschansk
St. Saltow
Charkow
Tschueujefe
Merefa
Donez
Liman
Kupjansk
Balaklaja
Karlowka
Taranowka
Poltawa
Bereka
6.
Krasnograd
57.
Bereka
Isjum
9.
Barwenkowo
Losowaja
Lissitschjansk
Donez
Sslawjansk
Jana
Kramatorskaja
Alexandrowka
Dnjepr
Pawlowka
Artemowsk
Samara
Debalzewo
Dnjepro-
petrowsk
Sinelnikowo
Grischino
Gorlowka
Mius
Stalino

0   20   40   60   80   100   km

den Stoß von Taranowka nach Südosten vorgesehenen Kräfte der 6. Armee infolge der ungünstigen Entwicklung der Lage im Abwehrkampf bei Charkow festgelegt werden mußten, weiß er nun, daß die Heeresgruppe von der doppelseitigen Zangenoperation Abstand genommen hat und diese nur einseitig, also nur von Süden her und sofort zur Durchführung bringen will. Ein kühner Entschluß!

In der Nacht zum 17. Mai gleicht die Stadt Sslawjansk einem aufgescheuchten Bienenhaus. Die Masse der Verbände mehrerer Divisionen muß zur Bereitstellung durch die Stadt marschieren. Infolge von Bombenabwürfen russischer Flieger, die allerdings das übliche Maß nicht überschreiten, kommt es verschiedentlich zu Verkehrsstockungen, und trotz vorheriger Erkundung und Markierung der Anmarschwege werden diese bei der herrschenden Dunkelheit wiederholt verfehlt.

So kommt es, daß einzelne Verbände mit erheblichen Verspätungen in ihren Bereitstellungsräumen eintreffen, und daß die letzten Meldungen über die Beendigung der Bereitstellung erst kurz vor Angriffsbeginn auf dem Div.-Gefechtsstand einlaufen.

Betrachtungen zur Bereitstellung zum Angriff:

Auch der Regimentsstab 229 fand fast seinen Gefechtsstand nicht. Dieser war etwa 1500 m nördlich von Ssobolewka vorbereitet worden, von wo das Bereitstellungs- und Angriffsgelände einigermaßen zu überblicken war. Auch wenn vorher wenig Zeit vorhanden ist, muß die Kennzeichnung der Wege in die Bereitstellungsräume sehr sorgfältig durchgeführt werden. Als Erkunder kommen in erster Linie Offiziere in Betracht, die als im Gelände zuverlässig bekannt sind. Die Anzahl der Holzstäbe zur Markierung der Wege, die mit weißen Papieren oder – besser – mit Leuchtfarbe zu versehen sind, kann in dunk-

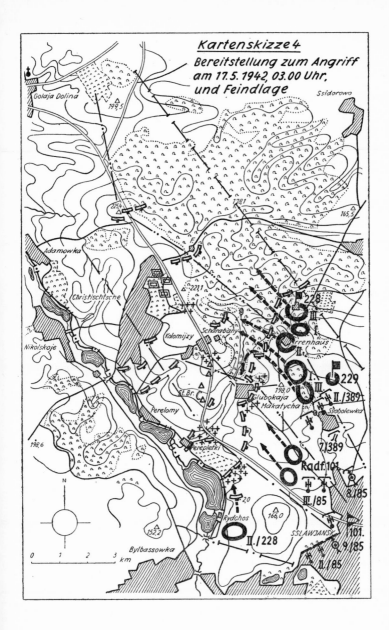

Kartenskizze 4
Bereitstellung zum Angriff
am 17.5.1942, 03.00 Uhr,
und Feindlage

len Nächten nicht groß genug sein. Darüber hinaus müssen an besonders kritischen Wegestellen Soldaten der Erkundungskommandos bereitstehen, die einzuweisen in der Lage sind. Ein nicht rechtzeitiges Eintreffen wesentlicher Teile der Angriffstruppe oder gar von Stäben kann zum Mißlingen eines Angriffes führen.

Aus Skizze 4 sind die Bereitstellungsräume der einzelnen Regimenter und Bataillone, das erkannte oder vermutete Feindbild sowie die befohlenen Stoßrichtungen ersichtlich. Skizze 5 stellt die Gliederung der 101. le. Inf.Div. am 17. Mai 1942 dar.

Skizze 5

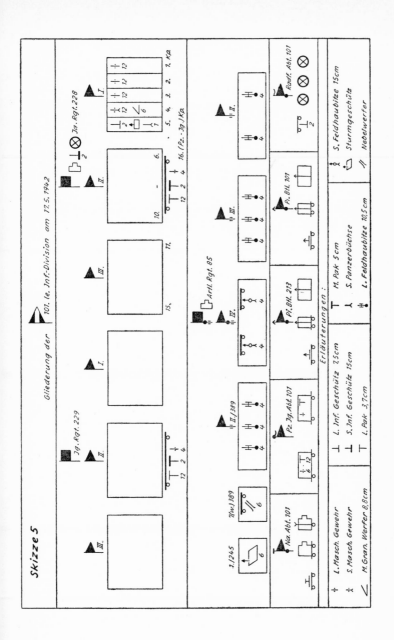

Gliederung der 101. le. Inf.-Division am 17.5.1942

Erläuterungen:

✝	L. Masch. Gewehr	⊥	L. Inf. Geschütz 7,5cm
✝	S. Masch. Gewehr	⊥	S. Inf. Geschütz 15cm
⟋	M. Gran. Werfer 8,8cm	T	L. Pak 3,7cm

T	M. Pak 5cm	✿	S. Feldhaubitze 15cm
⊥	S. Panzerbüchse	⊥	Sturmgeschütz
⊕	L. Feldhaubitze 10,5cm	∦	Nebelwerfer

Jg.Rgt. 229
Jg.Rgt. 228
Jg.Rgt. 7.Kp.
Arll. Rgt. 85
Pz.Jg.Abt. 101
Na. Abt. 101
Pi.Btl. 213
Pi.Btl. 101
Rad.f. Abt. 101

29

IV.

Der Angriff am 17. Mai 1942

a) Gefechtsverlauf am Vormittag

Mit gespannten Nerven erwartet man auf dem Div.-Gefechtsstand im Nordostteil von Sslawjansk den Zeitpunkt des Angriffes. Für den Erfolg wird weitgehend ausschlaggebend sein, ob es gelingen wird, den Russen zu überraschen. Während der Nacht hätte dieser die Stadt sehr wirkungsvoll bombardieren können, und noch jetzt wäre es möglich, die Angriffstruppe in ihren Bereitstellungsräumen durch Artillerie- und Granatwerferfeuer zu zerschlagen oder wenigstens so zu treffen, daß das Gelingen des Angriffes in Frage gestellt würde. Doch es fällt kein Schuß. Diese Ruhe läßt erwarten, daß der bevorstehende Angriff dem Feind nicht bekannt geworden ist.

Gegen 03.00 Uhr rötet sich im Osten der Horizont. Der wolkenlose Himmel verspricht wiederum einen trockenen und sehr heißen Frühsommertag.

Punkt 03.05 Uhr blitzt der Himmel rötlich auf. Wenige Sekunden später sind die dumpfen Abschüsse der leichten und schweren Haubitzen der Division und die knallenden der Kanonen der Korpsartillerie zu hören. Zwischendurch glaubt man das Zischen der Raketen der Werferbatterie vernehmen zu können. Überfallartig setzte das Feuer sämtlicher Geschütze und der anderen schweren Waffen ein. Und bald danach donnern Staffeln der Luftwaffe über die Köpfe der vor den Gefechtsstand getretenen Offiziere. Ihr Ziel dürfte Christischtsche sein; wenigstens ist das Grollen der Bombenwürfe nur aus weiter Entfernung zu hören.

Der Angriff hat planmäßig begonnen. Das sich verstärkende Feuer läßt darauf schließen, daß die russische Artillerie ebenfalls in den Kampf eingegriffen hat. Mit höchster Spannung erwarten der Div.-Kommandeur und sein Ia die ersten Meldungen von vorne.

Ihre Geduld wird aber auf eine harte Probe gestellt. Denn es wird 04.35 Uhr, bis vom Jäg.Rgt. 228 die erste Funkmeldung eingeht: „Januar 04.00 Uhr." Nach den für den Funkverkehr erlassenen Anordnungen bedeutet diese Abkürzung, daß das Rgt. 228 um 04.00 Uhr den als vorderste Feindstellung vermuteten Baumverhau erreicht hat.

Das auf dem linken Flügel der Division angreifende II./228 funkt 15 Minuten später, daß es um 03.30 Uhr den vorgeschobenen gegnerischen Stützpunkt bei + 2,0 genommen habe, und um 05.00 Uhr meldet das Jäg.Rgt. 229, daß sein II. Batl. in schwerem Feuerkampf liege, harte Gegenstöße abzuwehren und um 04.00 Uhr den Waldrand westlich des Irrenhauses noch nicht erreicht habe.

Sorge erfüllt die Offiziere auf dem Div.-Gefechtsstand, weil es anscheinend eine Stunde nach Angriffsbeginn noch nicht gelungen ist, einen entscheidenden Einbruch zu erzielen. Rückfragen sind bei beiden Jägerregimentern nicht möglich, weil die Drahtverbindungen gestört sind und die Funkverbindungen in dem stark durchschnittenen Waldgelände oft versagen.

Nach bangem Warten trifft endlich um 05.40 Uhr ein bereits um 04.55 Uhr aufgegebener Funkspruch des Rgt. 229 ein: „II./229 nach hartem Kampf etwa 1 km in Wald eingedrungen. Links geht Angriff zügig. Vordere Linie im Augenblick unbekannt." Und als kurze Zeit danach noch bekannt wird, daß dieses Bataillon um 05.30 Uhr den kleinen Teich 3 km nördlich Scharabany erreicht habe, atmet der Div.-Kommandeur auf. Der Erfolg des II./229 wird nicht ohne Einfluß auf das Vorwärtskommen seiner Nachbarn bleiben.

Ein um 06.12 Uhr aufgegebener und um 06.25 Uhr empfangener Funkspruch des Rgt. 228 lautet: „Baumverhau durchstoßen." Somit befindet sich auch dieses Regiment im Vorgehen.

Der Generalstabsoffizier der Division, der auf eine Beobachtungsstelle vorgefahren war, um sich den mit einem zeitlichen Abstand von 30 Minuten angesetzten Angriff der Radf. Abt. 101 anzusehen, kommt gegen 06.30 Uhr wieder zurück. Der Angriff schreitet ohne besondere artilleristische Gegenwehr des Russen flüssig vorwärts; die Salven der Werferbatterie, die gut lagen, hatten offensichtlich die Drahtverbindungen der feindlichen Beobachtungsstellen gründlich zerrissen.

Kurze Zeit später meldet die Radf.Abt., daß sie um 06.30 Uhr Glubokaja Makatycha genommen und neben 80 Gefangenen eine beachtliche Beute an Waffen eingebracht habe.

Dem II./228 war es nach längerem Festliegen um 05.00 Uhr gelungen, in das Obstgut südostwärts von Perepletki einzudringen. Daraufhin wurde die links benachbarte 97. le. Inf. Div. gebeten, Teile gegen Perepletki abzudrehen, um dem Bataillon das Vorwärtskommen zu erleichtern. Ob die 97. Div. dieser Bitte nachkam, geht aus den Akten nicht hervor. Doch erreicht das Bataillon um 07.00 Uhr die Schlucht am Südrand des Ortes, wo es vor einem Minenfeld erneut liegenbleibt.

Aus der Skizze 6 ist der Stand des Angriffes ersichtlich, wie er sich aus den bis 07.00 Uhr vorliegenden Meldungen darbietet.

Daß die Angriffsverbände der Division vier Stunden nach

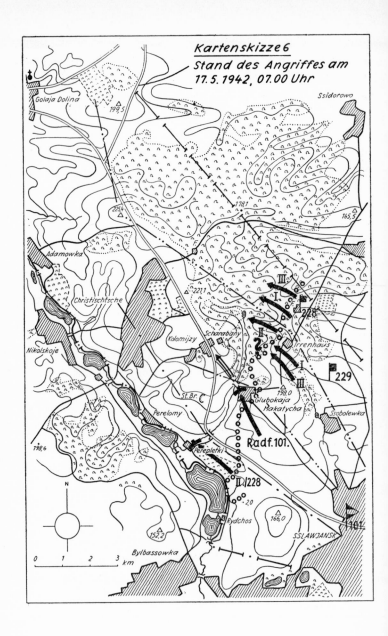

Kartenskizze 6

Stand des Angriffes am
17. 5. 1942, 07.00 Uhr

Radf. 101.

34

Angriffsbeginn erst 2 bis 2,5 km tief in der feindlichen Stellung stehen, wirkt enttäuschend. Doch lassen sich nach der Einnahme von Glubokaja Makatycha wenigstens einige Maßnahmen ergreifen, die dem Fortgang des Angriffes dienlich sein werden.

Das Pi.Batl. 101 wird angewiesen, in Glubokaja Makatycha mit der Minenräumung zu beginnen. Die Radf.Abt. erhält um 07.50 Uhr den Befehl, den Höhenrücken südlich von Kolomizy zu nehmen und sich dann in der Gegend des Steinbruches als Divisionsreserve bereitzustellen. Das Art.Rgt. 85 bekommt um 08.00 Uhr den Auftrag, mit zwei leichten Abteilungen Stellungswechsel in die Gegend südlich von Kolomizy zu machen. Die 2./Fla. 66 soll mit einem Zug den Raum Kolomizy erreichen und dort „das Vorgehen des Rgt. 229 sichern". Die Pz.Jäg.Abt. 101 wird um 10.00 Uhr nach Glubokaja Makatycha in Marsch gesetzt, um „den weiteren Angriff der Division zu überwachen".

Besorgniserregend ist die Tatsache, daß von beiden Jägerregimentern seit Stunden keine Meldungen über den Fortgang des Angriffes und die Lage bei den Angriffsspitzen eingegangen sind. Die Drahtverbindungen sind dauernd gestört, und durch Funk dürfte wegen des ungünstigen Geländes keine Verbindung zu erzielen sein. Die folgenden Ausführungen sollen sich deshalb mit den Vorgängen befassen, die sich seit Angriffsbeginn bei den Jägerregimentern abspielten.

b) Bei den Jägerregimentern 228 und 229

Das Jäg.Rgt. 228 trat mit seinem III. Batl. rechts und seinem I. Batl. links befehlsgemäß um 03.05 Uhr zum Sturm auf die sich durch den Wald ziehende vorderste feindliche Stellung an. Obwohl das Regiment seinen beiden Bataillonen nur durch einen kurzen Feuerschlag seiner eigenen schweren Waffen helfen konnte und auf Artillerieunterstützung verzichten mußte, gelang ihm doch bereits um 03.20 Uhr der Durchbruch durch diese – allerdings nur sehr schwach besetzte – gegnerische Sicherungslinie.

Anschließend wurde trotz starken feindlichen Sperrfeuers, das erhebliche Ausfälle verursachte, sehr schnell der erste „Baumverhau" erreicht, der nur wenige hundert Meter entfernt war. Dessen Vorhandensein war zwar aus Gefangenenaussagen bekannt; der genaue Verlauf und der Ausbau hatten jedoch nicht ermittelt werden können. So kam es, daß sich das Regiment überraschend einer Stellung mit sich gegenseitig flankierenden sowie durch Minen, Schreckladungen und Drahtsperren gesicherten Erdbunkern gegenüberfand. Zweifellos handelte es sich bei dieser Stellung um die feindliche Hauptkampflinie.

Das Regiment mußte sich deshalb nochmals zum Angriff bereitstellen, was sich in dem dichten Walde ermöglichen ließ. Nach kurzen Feuerschlägen schwerer und leichter Infanteriewaffen gelang beiden Bataillonen um 04.45 Uhr auch bei dieser Stellung der Einbruch. Danach ging es unter ständigem Geplänkel mit russischen Scharfschützen und unter Überwindung von drei weiteren, mehr oder weniger verteidigten Baumverhauen unaufhaltsam in nordwestlicher Richtung vorwärts.

Bereits um 08.00 Uhr erreichten die vordersten Teile des Regiments die Gegend der Försterei, 1 km ostwärts des Nordausganges von Christischtsche. Sie stießen hier auf mehrere Feindpanzer, die bei den Gebäuden herumfuhren und auf jede Bewegung das Feuer eröffneten. Anscheinend hatten diese Panzer ihre Infanterie zu schützen, die sich in der hier verlaufenden rückwärtigen Stellung einrichten sollte. Alle

Versuche, die Försterei zu nehmen, scheiterten, weil panzerbrechende Waffen nicht zur Verfügung standen und zunächst auch nicht heranzubringen waren.

Ohne Anschluß nach rechts, wo von der 257. Div. nichts bekannt war, und nach links, wo schwacher Gefechtslärm in südlicher Richtung das Rgt. 229 vermuten ließ, sowie ohne Verbindung zum Div.-Gefechtsstand und zur Artillerie, sah sich der Rgt.-Führer vor die Frage der Weiterführung seines Kampfes gestellt. Als nächstes Angriffsziel war die Höhe 225,4 befohlen, das wußte er aus dem Divisionsbefehl. Der kürzeste Weg dorthin führte über die Försterei, die aber dem Russen mit den Mitteln des Regiments nicht zu entreißen war. Dagegen durfte erwartet werden, daß die im Walde auf sich selbst gestellte russische Infanterie weniger zäh halten werde. Der Rgt.-Führer entschloß sich deshalb, rechts auszuholen und den Angriff unter Umgehung der Försterei fortzusetzen.

Sein I. Batl. erhielt den Auftrag, sich einige hundert Meter nach rechts zu verschieben, im Walde in nordwestlicher Richtung vorzustoßen und die Höhe 225,4 von Osten her zu nehmen. Dem III. Batl. wurde befohlen, mit seiner Masse dem I. zu folgen und mit Teilen gegen den Feind bei der Försterei so lange zu sichern, bis der linke Nachbar herangekommen sei.

Während das Regiment antrat, griffen deutsche Flieger die Försterei und den Gegner westlich davon an. Bomben fielen in nächster Entfernung, trafen glücklicherweise aber keine eigenen Leute. Nördlich der Försterei gelang es, ein im Stellungswechsel begriffenes schweres Langrohrgeschütz und ein Verpflegungslager kurzerhand zu stürmen. An anderer Stelle wurden Eßgeschirre mit noch warmer Verpflegung festgestellt. So überraschend traf der deutsche Vorstoß den Feind.

37

Der als westliche Flankensicherung des Regiments vorgehende Zug beobachtete vom Waldrand aus zahllose russische Soldaten und Fahrzeuge, die fluchtartig in nördlicher Richtung zurückgingen.

Bereits um 11.30 Uhr erreicht die vorderste Einheit des Rgt. 228 nach mühsamem Vordringen durch den dichten Wald die Gegend 1,5 km ostwärts der Höhe 225,4.

*

Auch das Jäg.Rgt. 229 eröffnete Punkt 03.05 Uhr seinen Angriff. Es hatte in vorderer Linie rechts sein II. und links sein I. Batl. eingesetzt. Das III. Batl. hatte den Auftrag, links rückwärts des I. zu folgen, nach Erreichen des gegnerischen Waldrandes linksum zu machen und den Stützpunkt „Glubokaja Makatycha" von rückwärts anzugreifen. Auf diese Weise sollte – im Zusammenwirken mit der Radf.Abt. 101 – dieser gut ausgebaute und stark verminte Stützpunkt möglichst frühzeitig zu Fall gebracht werden.

Beim II./229 trat bei Beginn der „Feuerzusammenfassung Kissel rechts", an welcher sich außer der III./Art.Rgt. 85 und der II./Art.Rgt. 389 auch die schweren Infanteriewaffen dieses Bataillons beteiligten, zunächst nur der unterstellte Zug der 2./Pi.Batl. 101 an. Er sollte Gassen durch die Minen- und Drahtsperren schaffen. Da er für diese Arbeiten dreiviertel Stunden benötigte, begann der Angriff der beiden in vorderster Linie eingesetzten Jägerkompanien erst gegen 03.50 Uhr. Inzwischen waren bereits Ausfälle durch das gegnerische Sperrfeuer eingetreten, das kurze Zeit nach Beginn des eigenen Vorbereitungsfeuers eingesetzt hatte.

Infolge dieses falschen, weil verspäteten Antretens der Jägerkompanien scheiterte der erste Angriffsversuch an der infanteristischen Abwehr des Russen. Auf Befehl des Regiments wurde ein erneuter Feuerschlag der Artillerie und der schweren Infanteriewaffen organisiert, bei dessen Beginn sofort zum Sturm angetreten werden sollte. Er führte kurz nach 04.30 Uhr zum Einbruch. Anschließend kämpfte sich das Bataillon durch die in der Tiefe des Waldes verlaufenden Feldstellungen. Es erreichte um 05.30 Uhr den kleinen Teich nordostwärts von Scharabany, der sein erstes Angriffsziel war.

Hier mußten zunächst die durch das Waldgefecht durcheinandergeratenen Kompanien geordnet werden. Während dieser Zeit hatte der Batl.-Führer seine Entscheidung über die weitere Kampfführung zu treffen, da er weder mit dem Rgt.-Gefechtsstand noch mit seinen Nachbarn Verbindung bekommen konnte. Daß die Höhe 225,4 nächstes Angriffsziel des Regiments war, wußte der Hauptmann. Einen Gegner hatte er anscheinend nicht mehr vor sich. Bekannt war ihm ferner die möglicherweise gefechtsentscheidende Bedeutung des schnell und ohne Rücksicht auf Nachbarn und etwa noch stehengebliebene Feindteile vorgetragenen Angriffes. Er entschloß sich deshalb zur unverzüglichen Fortsetzung des Angriffes.

Das Bataillon setzte sich gegen 06.30 Uhr erneut in Bewegung, um zunächst den Westrand des großen Waldes zu gewinnen. Vornweg marschierte ein durch Pioniere verstärkter und stoßtruppartig gegliederter Zug. Dahinter folgten die Kompanien in Schützenreihe, also Mann hinter Mann.

Das I./229 war um 03.05 Uhr aus seinem am Hinterhang gelegenen Bereitstellungsraum herausgetreten, um zunächst mit seiner in vorderster Linie eingesetzten 3. Kp. den auf dem Kamm des Höhenrückens in nordsüdlicher Richtung führenden Weg zu erreichen. Hier, von wo aus das Gelände allmählich zu dem 400 m entfernten Waldrand mit der feindlichen

Hauptkampflinie abfällt, verhielt die Kompanie einige Zeit. Den Männern bot sich das erregende Bild der Schlacht. Halbrechts vorwärts verhüllten aufsteigende Rauch- und Staubwolken die gegnerische Stellung. Das Rauschen heranfliegender und das Krachen detonierender Geschosse erfüllten die Luft. Bald schlugen auch auf dem Höhenrücken Granaten ein. Doch blieb zunächst unklar, ob es sich bei diesen Granaten um feindliches Sperrfeuer oder um zu kurz liegendes eigenes Feuer handelte. Fast unbemerkt waren bei dem Höllenlärm die sechs Sturmgeschütze der 1./Sturmgesch.Abt. 245 herangekommen und rechts rückwärts der Angriffsspitze stehengeblieben.

Mit dem Einsetzen der „Feuerzusammenfassung Kissel links" um 03.20 Uhr brach die 3. Kp. zum Sturm auf die feindliche Stellung vor. Der Beschuß auf dem Höhenrücken, der inzwischen zweifelsfrei als russisches Feuer erkannt worden war, hielt in unverminderter Stärke an und forderte laufend Ausfälle. Außerdem zeigte sich jetzt, daß die im Zwischengelände verlegten – eigenen und feindlichen – Minen nur unzulänglich geräumt worden waren. Die in den vorgehenden Gruppen zerkrachenden Minen verursachten Verluste.

Die Sturmgeschütze, die sich ebenfalls in Bewegung gesetzt hatten, machten sofort halt, als das erste durch einen Minentreffer beschädigt wurde. Da die Geschütze noch kein Schußfeld auf die tiefergelegenen Feindstellungen am Waldrand hatten, wurden sie durch den Batl.-Führer aufgefordert, weiterzufahren. Ihr Kp.-Chef lehnte jedoch die Ausführung dieses Befehls im Hinblick auf die nicht geräumten Minen ab. „Er sei nicht unterstellt und habe in erster Linie für die Erhaltung seiner wertvollen Geschütze zu sorgen", meldete später der Batl.-Führer. Das Bataillon mußte auf die Mitwirkung der Sturmgeschütze verzichten.

Über den weiteren Verlauf des Angriffes des I./229 berichtete dessen Führer:

„Bei der 3. Kp. war es inzwischen zu einer ernsten Krise
gekommen. Neben anhaltend starkem Sperrfeuer mit Granatwerfern und Artillerie, neben detonierenden eigenen und feindlichen Minen schlug den Angreifern nun auch heftiges Abwehrfeuer aus der Stellung am Waldrand entgegen. Das eigene, nur
zehn Minuten dauernde Vorbereitungsfeuer hatte nicht aus-
gereicht, die durchweg gedeckt angelegten Stellungen auszuschalten.

Leutnant Ihrig, der Führer der 3. Kp., hatte seine Kompanie
zwar bis auf Sturmentfernung vorgerissen, nun fiel er aber mit-
samt den meisten Männern seines Kompanie- und Panzernahkampftrupps im Feuer eines gut getarnten Schartenstandes.

Der I. Zug, der als erster über das verminte Gelände vor-
gegangen war, hatte bis auf einen Unteroffizier alle Führer
verloren und bestand noch etwa aus einer Gruppe. Der II. Zug
hatte sich im Angriff gegen eine vorgestaffelte, aus Richtung
Glubokaja Makatycha flankierende Anlage des Feindes fest-
gebissen, der Zugführer war gefallen.

Auch der unterstellte Pionierzug hatte Verluste gehabt. Sämtliche Flammenwerfer waren ausgefallen. Der bisher so schwung-
voll vorgetragene Angriff drohte liegenzubleiben.

Hier konnte der unmittelbar hinter der 3. Kp. folgende Batl.-
Führer eingreifen. Unterstützt von den Resten des I. und des
Pionierzuges, die mit Handgranaten und dem Feuer ihrer Hand-
waffen den Feind in Deckung zwangen, brach er mit dem III. Zug
dieser Kompanie in die Stellung ein. Während diese von den
Pionieren gesäubert wurde, stieß die 3. Kp., der die 1. Kp.
dichtauf folgte, in Richtung Scharabany weiter vor."

Der Rgt.-Gefechtsstand 229 war in einer rückwärtigen Ver-
teidigungsanlage nördlich von Ssobolewka eingerichtet worden. Auf den kleinen Unterständen und den brusttiefen Grä-
ben dieser Anlage lag seit Angriffsbeginn das Feuer russischer
Artillerie. Auch das Irrenhaus gehörte zu den vom Gegner

41

am meisten beschossenen Geländepunkten. Seitdem allerdings die feindlichen Beobachtungsstellen auf der Höhe südlich von Scharabany durch Nebel verhüllt waren, blieb das
gegnerische Feuer stets auf denselben Stellen liegen. Der
Russe konnte nur noch unbeobachtetes Feuer abgeben. In
der Ferne, vermutlich über Christischtsche, sah man die Sturz-
kampfbomber aus dem Himmel herunterstürzen, bis sie in
den Rauch- und Nebelschwaden verschwanden, die auf dem
gesamten Angriffsgelände lagerten.

Meldungen über den Stand des Gefechtes bei den Bataillonen blieben zunächst aus. Die Drahtleitungen waren zer-
stört, und durch Funk konnte ebenfalls keine Verbindung
hergestellt werden. Da die Funkgeräte während des Vor-
gehens nicht arbeiten konnten, wurde angenommen, daß sich
die Bataillonsstäbe beim Stellungswechsel befanden. Die Verwundeten, die von vorne zurückkamen, berichteten allerdings
wenig erfreulich. Das Vorbereitungsfeuer habe keinerlei Wirkung gehabt. Deshalb sei der Einbruch in die feindliche Stellung nicht geglückt. Die Ausfälle seien außerordentlich hoch.

Obwohl dem Rgt.-Führer durchaus geläufig war, daß Verwundete die Lage schwärzer zu beurteilen pflegen, als sie es
tatsächlich ist, gaben die zahlreichen übereinstimmenden Meldungen doch Grund zu ernsthafter Besorgnis. Und als einige
Zeit später ein Gespräch mit dem II. Batl. zustande kam, be-
stätigte dessen Führer, was von den Verwundeten bereits
bekannt war. Der Einbruch war mißlungen. Der Rgt.-Führer
befahl die Wiederholung des Angriffes und organisierte dazu
die schon erwähnte zweite Feuerzusammenfassung, die kurz
nach 04.30 Uhr zum Erfolg führte.

Einige Zeit nach diesem Gespräch meldete das I. Batl., daß
es den Einbruch erzwungen habe und sich im Vorgehen gegen
Scharabany befinde.

Der Oberstleutnant ordnete daraufhin für seinen Stab Stellungswechsel an: „Neuer Rgt.-Gefechtsstand am Waldrand ostwärts Scharabany. Ordonnanzoffizier hält bis auf weiteres alten Gefechtsstand besetzt. Fernsprechtrupp 101 baut Leitung zum neuen Gefechtsstand vor." Dann setzte sich die Führungsstaffel des Regimentsstabes mit allen Funktrupps in Marsch.

Schematisch belegte die russische Artillerie stets die gleichen Geländepunkte mit ihrem Feuer. Am Nordrand des länglichen Bereitstellungswaldes hatte die Sturmgeschützbatterie gesammelt. Dann ging es über die seitherige deutsche Hauptkampflinie, vorüber an Männern der schweren Kompanien, die sich keuchend und schwitzend mit ihren Granatwerfern, ihren Maschinengewehren und ihren Munitionsbehältern beim Stellungswechsel befanden. Entgegen kamen Verwundete mit durchgebluteten Verbänden. Die hochsteigende Sonne verbreitete schon eine hochsommerliche Wärme.

Der Höhenrücken mußte im Laufschritt überwunden werden, weil er von links noch immer durch ein Maschinengewehr bestrichen wurde. Vorwärts und in der russischen Stellung, die – im Gegensatz zur deutschen – durchlaufend ausgebaut, verdrahtet und mit zahlreichen Erdbunkern versehen war, lagen in wirrem Durcheinander eigene und gegnerische Tote, so wie sie im harten Nahkampf gefallen waren.

Im Walde ging es hinunter zum Bachgrund und jenseits wieder hinauf. Zwei durch Sprengladungen und Minen gesicherte, aber anscheinend nicht verteidigte Baumverhaue wurden auf gut erkennbaren Trampelpfaden überwunden.

Am Waldrand ostwärts Scharabany bot sich dem Rgt.-Führer folgendes Bild: Die vom Waldrand nur noch allmählich ansteigende deckungslose Fläche war auf etwa 500 m gut zu überschauen. Vor der ungefähr 400 m gegenüberliegenden

Waldspitze war ein gegnerischer Stützpunkt mit vielleicht fünf Kampfständen zu erkennen. Er war vom Russen besetzt, denn man konnte immer wieder erdbraune Gestalten beobachten, welche die Anlage verließen, und andere, die mit Maschinengewehren und mit Munitionskästen von rückwärts herankamen. Schätzungsweise 300 m weiter links krachte alle paar Minuten der Einschlag einer schweren Granate. Da der Gegner sein Feuer kaum schon so weit zurückgezogen haben konnte und auch das Heranrauschen der Geschosse nicht zu vernehmen war, mußten diese von einer eigenen Batterie stammen, die vom Einbruch des Rgt. 229 und dessen derzeitigem Standort noch nicht unterrichtet war.

Am Waldrand begannen Maschinengewehre zu rattern. Der Schütze 1 des in unmittelbarer Nähe feuernden Gewehres sank mit einem Kopfschuß zusammen. Man zog ihn zur Seite, und wie bei einer Friedensübung legte sich der nächste Schütze hinter die Waffe und schoß weiter. Aber auch diesem erging es wie dem ersten. Erst dem dritten gelang es, den Gegner im Stützpunkt an der gegenüberliegenden Waldspitze zum Schweigen zu bringen. Kein Wort fiel bei diesem Schützenwechsel.

Während die am Waldrand zusammengezogenen leichten Maschinengewehre den Gegner im gegenüberliegenden Stützpunkt mit ihrem Feuer niederhielten, griffen diesen, von den Maschinengewehren rechts und links abgesetzt, je ein Zug der 3. und der 1. Kp. an und stürmten ihn.

Schwere Waffen, die den Angriff hätten unterstützen können, standen nicht zur Verfügung, weil die vorgeschobenen Beobachter der Artillerie (VB) und die Schützen mit den schweren Infanteriewaffen noch nicht zur Stelle waren. Trotzdem war den Stürmenden erst auf nächste Entfernung Feuer entgegengeschlagen, das aber durchweg zu hoch lag und deshalb keine Ausfälle verursachte. Die russischen Soldaten hatten mit eingezogenen Köpfen, also ohne zu zielen, geschossen.

Eine zur Flankensicherung nach rechts hinausgeschobene Gruppe stieß überraschend auf eine feuernde Batterie des Gegners und nahm diese im Sturm. Ein nach Scharabany entsandter Spähtrupp stellte fest, daß das Dorf brannte, aber feindfrei war. Nur auf der großen Straße bewegten sich russische Kolonnen fluchtartig nach Norden. Da ein unter den Gefangenen befindlicher Major aussagte, daß die bei Scharabany zerschlagenen Kräfte die einzigen Abschnittsreserven gebildet hätten, faßte der Führer des I. Batl. den Entschluß, dem weichenden Feind sofort nachzustoßen.

Das Vorgehen des I. Batl. kam aber im Feuer zahlreicher Feindpanzer zum Erliegen, die nördlich Scharabany am Waldrand standen, von wo sie die deckungslose Ebene zwischen dem Wald und der Ortschaft Christischtsche mit ihrem Feuer beherrschten.

Der Batl.-Führer ließ daraufhin den Angriff abbrechen und sammelte sein Bataillon im Walde bei dem genommenen Stützpunkt. Hier wollte er das Herankommen der VB und der schweren Infanteriewaffen abwarten und in der Zwischenzeit seinen Verband zur Fortsetzung des Angriffes bereitstellen.

Kurz nach 06.00 Uhr sah sich nun der Führer des Rgt. 229 am Waldrand ostwärts von Scharabany vor den Entschluß gestellt, wie der Angriff weiterzuführen sei. Auftragsgemäß sollte sein Regiment von Scharabany aus entlang der Rollbahn angreifen und Christischtsche-Nord sowie die Höhe 225,4 in Besitz nehmen. Der Versuch seines I. Batl., den Angriff fortzusetzen, war soeben im Feuer russischer Panzer zusammengebrochen. Ohne Artillerie, ohne schwere Infan-

teriewaffen und vor allem ohne wirksame Panzerabwehrgeschütze konnte der Angriff in der befohlenen Weise nicht
geführt werden. Am besten zur Unterstützung geeignet waren
die Sturmgeschütze. Doch mußten diese – wie auch alle anderen schweren Waffen – zum Herankommen die Bachüber-
gänge nordostwärts Perepletki und bei Glubokaja Makatycha
benutzen. Diese waren vermutlich noch nicht in eigener Hand,
sicherlich aber noch nicht von Minen geräumt. Bis dies der
Fall sein konnte, mußten viele Stunden vergehen. Andererseits kam es entscheidend darauf an, den Angriff ohne Zeitverlust fortzusetzen, um den überraschten Gegner daran zu
hindern, sich in einer rückwärtigen Stellung erneut festzusetzen. Geländemäßig bot sich für das weitere Vorgehen der
Wald an, dessen Westrand nahe an die Angriffsziele herankam und der gleichzeitig weitgehend Schutz gegen die Panzer
und auch gegen Angriffe aus der Luft gewährte. Als Angriffstruppe stand allerdings zunächst nur das bereits geschwächte
I. Batl. zur Verfügung. Von den beiden anderen Bataillonen
lagen noch keine Meldungen vor. Seit dem Verlassen des
alten Rgt.-Gefechtsstandes war weder mit diesen Bataillonen
noch mit dem früheren Gefechtsstand eine Verbindung zustande gekommen. Lediglich der aus südlicher Richtung ver-
nehmbare schwache Gefechtslärm ließ vermuten, daß um
Glubokaja Makatycha gekämpft wurde. Auch über die Lage
bei den Nachbarn, dem Rgt. 228 und der Radf.Abt. 101, war
dem Oberstleutnant nichts bekannt. Außerdem fehlte seit
Stunden jede Verbindung zum Div.-Gefechtsstand. Die Draht-
leitung war nach Aussage der Fernsprecher aus unerklär-
lichen Gründen unterbrochen, und die dem Regiment zuge-
teilten Funker der Na.Abt. 101 waren noch immer nicht
nachgekommen. Daß letztere infolge Verwundung ausgefallen waren, wurde erst am folgenden Tag bekannt.

Die Funker des Rgt.-Nachrichtenzuges wurden angewiesen, unablässig zu versuchen, mit den Bataillonen in Verkehr zu kommen. Dem III. Batl. sollte der Befehl übermittelt werden, Glubokaja Makatycha beschleunigt zu nehmen und sich anschließend im Waldzipfel nördlich davon zum Nachfolgen bereitzustellen.

Doch bevor der Rgt.-Führer dazu kam, seinen Entschluß zu fassen, wurde ihm eine Funkmeldung des II. Batl. vorgelegt. Aus dieser ging hervor, daß das Bataillon um 06.30 Uhr von dem kleinen Teich in westlicher Richtung angetreten war, um den Westrand des großen Waldes zu gewinnen.

Der Oberstleutnant entschloß sich daraufhin zur sofortigen Fortsetzung des Angriffes, und zwar unter Ausnutzung des Deckung bietenden Waldes. Er begab sich zu der gegenüberliegenden Waldecke, wo er das I. Batl. orientierte und ihm befahl, sich an das II. anzuhängen.

Die Führungsstaffel des Regimentsstabes gliederte sich hinter der vordersten Kompanie des in Reihenkolonne herankommenden II. Batl. ein. Dann ging es unter ständigem Herumschießen mit ausweichenden sowjetischen Scharfschützen innerhalb des Waldes an dessen Westrand entlang. Draußen auf der Straße rollten russische Kraftwagen mit und ohne aufgesessene Schützen gegen Isjum. Hin und wieder feuerten von draußen Panzer in den Wald. Ein Versuch, mit Hilfe des beim II. Batl. befindlichen VB Artilleriefeuer gegen die Russen auf der Rollbahn zu richten, mißlang, weil mit den Feuerstellungen keine Verbindung zu bekommen war.

Bei der Försterei, die von der Spitze des II./229 gegen 09.45 Uhr erreicht wurde, wich der Feind nach nur schwachem Widerstand in nördlicher Richtung aus. Unweit südlich der Gebäude lag der Führer des III./228 schwerverwundet auf dem Waldboden. Er berichtete dem Führer des Rgt. 229 von dem rechts ausholenden Vorgehen des Rgt. 228 und von einem Gegenangriff des Feindes aus der Försterei, bei dem er verwundet worden sei. Russische Soldaten hätten mit ihm gesprochen, ihn aber dann zurückgelassen.

Der Oberstleutnant ordnete für sein Regiment eine kurze Rast an. Während dieser Zeit ließ er seinem III. Batl. durch Funk übermitteln, bis zum Nordostteil von Christischtsche nachzufolgen und sich dort zur Verfügung des Regiments bereitzuhalten.

c) Gefechtsverlauf während der zweiten Tageshälfte

Um 10.00 Uhr vormittags, also sieben Stunden nach Angriffsbeginn, hat man auf dem Div.-Gefechtsstand noch immer ein recht lückenhaftes und wenig befriedigendes Bild vom Stand des Angriffes. In Kolomizy liegen beispielsweise die Verhältnisse so unklar, daß der Radf.Abt. 101 um 10.30 Uhr der Auftrag erteilt werden muß, gegen diese Ortschaft aufzuklären.

Doch als endlich kurz nach 11.00 Uhr auf einem Wege, der aus dem Kriegstagebuch nicht ersichtlich ist, bekannt wird, daß sich das II./229 ostwärts Christischtsche-Nord befinde und das III./229 die Höhe 221,1 genommen habe, erfaßt den Div.-Kommandeur und seinen Ia ein Gefühl großer Erleichterung. Um die Kräfte der Division gegen das Hauptangriffsziel des Tages straff zusammenzufassen, wird um 11.20 Uhr dem II./228 durch Funk befohlen: „Über Christischtsche Vorstoß auf Ostteil Wald südlich 225,4. II./229 ostwärts Christischtsche-Nord. Radf.Abt. bleibt südlich Kolomizy zur Verfügung der Division."

Während des zweiten Besuches des Kommandierenden Generals auf dem Div.-Gefechtsstand teilen Fernsprecher der

48

Na.Abt. 101 um 11.30 Uhr mit, daß das Rgt. 228 die Försterei, 1 km nordostwärts Christischtsche, genommen habe; der
Draht sei bis dorthin vorgebaut. Die Leitungen seien allerdings oft gestört, weil sich im Walde noch zahlreiche versprengte Russen befänden. Die Funkgeräte müßten getragen
werden und kämen deshalb nur langsam vorwärts.

Zur gleichen Zeit meldet das II./228 die Wegnahme des
Südteiles von Christischtsche, worauf das Art.Rgt. 85 den
Befehl erhält, mit seinen leichten Abteilungen Stellungs-
wechsel nach vorne zu machen.

Um 13.03 Uhr teilt das LII. A.K. mit, daß sich eigene Panzer in Golaja Dolina befänden. Da zum Jäg.Rgt. 229 keine
Drahtverbindung besteht und auch ein Funkbefehl, sofort
über Höhe 225,4 gegen Golaja Dolina vorzustoßen, nicht
abgesetzt werden kann, fährt der Div.-Kommandeur nach
vorne, „um den Angriff in Schwung zu halten", wie im Kriegstagebuch der Division festgestellt wird. Allerdings muß er
bereits bei Scharabany seinen Kübelwagen verlassen und den
Weg zu Fuß fortsetzen, weil die Ortschaft und die Rollbahn
nördlich davon noch nicht von Minen geräumt sind.

Während sich der Div.-Kommandeur unterwegs befindet,
treffen beim Gefechtsstand in Sslawjansk-Nordost um 14.50
Uhr, um 15.20 Uhr und gegen 16.00 Uhr Meldungen des Jäg.
Rgt. 228, des Art.Rgt. 85 und des II./228 ein. Das Rgt. 228
funkt: „228 vorübergehend Verteidigung Waldrand ostwärts
Punkt 225,4. Nach Munitionierung und Nachziehen schwerer
Waffen Angriffsfortsetzung." Der Art.Rgt.-Kommandeur teilt
fernmündlich mit, daß das Rgt. 229 mit zwei Bataillonen 2 km
nördlich 225,4 stehe, und daß sich vier le. F.H.-Batterien bei
Scharabany in Stellung befänden. Das II./228 meldet durch
Funk: „Vordere Teile 500 m südlich Ostteil Schmetterlings-
wald."

Damit besitzt man auf dem Div.-Gefechtsstand erstmals ein ausreichendes Bild über den Stand des Angriffes bei den Regimentern und den Bataillonen, das die Skizze 7 zeigt.

Der Div.-Kommandeur trifft kurz nach 14.30 Uhr beim Jäg.Rgt. 228 ein. Dieses rastet etwa 1000 m tief im Walde; es hat zwei verstärkte Züge zu seiner Sicherung an die Waldränder ostwärts Höhe 225,4 und südlich der Höhe 199,5 entsandt. Von der Besetzung der feindfrei vorgefundenen Höhe 225,4 nahm das Regiment wegen der zahlreichen Feindpanzer Abstand, zu deren Bekämpfung Abwehrwaffen nicht zur Verfügung stehen. Die ungewöhnlich heiße Witterung, der quälende Durst und die gänzliche Erschöpfung aller Soldaten zwangen zu einer ausgiebigen Rast. Auch die knapp gewordene Munition ließ eine Fortführung des Angriffes untunlich erscheinen. Der Rgt.-Führer hat die Absicht, Munitionsnachschub sowie das Herankommen seiner Panzerabwehrgeschütze und seines schweren Infanteriegeschützzuges abzuwarten, dann zum nördlichen Waldrand vorzustoßen und sich dort zum Angriff gegen die Höhe 199,5 bereitzustellen.

Vom Rgt. 228 begibt sich der Div.-Kommandeur zum Jäg. Rgt. 229. In Anbetracht der in Golaja Dolina befindlichen deutschen Panzer drängt er auf eine möglichst frühzeitige Wiederaufnahme des Angriffes. Da beim Rgt. 229 die Verhältnisse ähnlich wie beim Rgt. 228 liegen, stimmt er einer längeren Rast zu. Doch hält er die Fortsetzung des Angriffes bis spätestens 18.00 Uhr für möglich. Er läßt deshalb seinen Gefechtsstand in Sslawjansk durch folgenden Funkspruch orientieren, der um 16.10 Uhr dort aufgenommen wird: „Jäg. Rgt. 228 und 229 angreifen nach Munitionierung 199,5 und Höhen westlich davon. Beginn gegen 18.00 Uhr."

Allerdings wird kurz danach bekannt, daß die Nachricht von der Anwesenheit eigener Panzer in Golaja Dolina auf

50

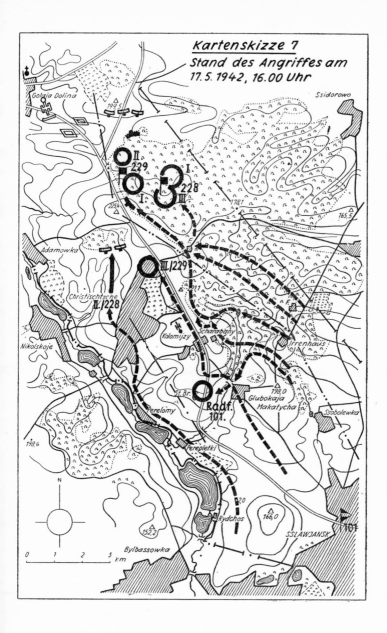

Kartenskizze 7
Stand des Angriffes am
17. 5. 1942, 16.00 Uhr

einem Irrtum beruhte; diese hatten lediglich das 4 km südwestlich von Golaja Dolina gelegene Krassnopolje Nr. 1 in Besitz nehmen können. Weitere Nachrichten liegen von der linken Nachbardivision nicht vor. Von der rechts benachbarten 257. Div. weiß man überhaupt nichts.

Vom Jäg.Rgt. 228, wo der Funkspruch zur Aufgabe gelangt war, kehrt der Div.-Kommandeur wieder nach Sslawjansk zurück. Der Führer des Rgt. 229, den er zum Rgt. 228 mitgenommen hatte, begleitet ihn bis zum Waldrand.

Außerhalb des Waldes schießt der Russe mit Kanonen und Maschinengewehren aus Panzern auf jede Bewegung und auf jeden deutschen Soldaten, der sich auf der deckungslosen und allmählich nach Norden abfallenden Ebene blicken läßt. Die Panzer stehen verteilt in dem Raum südwestlich der Höhe 199,5. Auch gegnerische Artillerie, die sich in Golaja Dolina oder südostwärts davon in Stellung befinden dürfte, und 12-cm-Granatwerfer streuen des öfteren die Rollbahn und die umliegende Gegend ab.

Der Div.-Kommandeur erkennt, daß die Fortführung des Angriffes über das offene Gelände bis zum Tagesziel ohne ausreichende Unterstützung durch Artillerie, Sturmgeschütze und andere schwere Waffen nicht möglich ist. Es ist also notwendig, die Feuerbereitschaft der Masse der Artillerie sowie das Herankommen der anderen schweren Waffen abzuwarten. Auch Munitionsnachschub ist erforderlich. Da nicht vorauszusehen ist, wann diese Erfordernisse erfüllt sein werden, erklärt sich der Div.-Kommandeur mit dem Vorschlag des Rgt.-Führers 229 einverstanden, das Tagesziel durch einen Nachtangriff in Besitz zu nehmen, falls es für einen Angriff bei Helligkeit zu spät werden sollte.

Während seiner Abwesenheit vom Div.-Gefechtsstand hatte das Korps um 16.10 Uhr dem Ia mitgeteilt, daß auf Bogoroditschnoje, das 5 km nordostwärts von Golaja Dolina, aber im Gefechtsstreifen der 257. Div. gelegen ist, Stukaangriffe angesetzt wurden. Es befahl, diese Ortschaft durch Teile der 101. Div. angreifen zu lassen. Fünfundzwanzig Minuten später rief der Korpschef erneut an und verlangte mit Nachdruck, die Stukaangriffe auszunutzen und Bogoroditschnoje „noch heute" zu nehmen, da „Wegnahme von entscheidender Bedeutung für die Offensive der Armee" sei.

Da die Fernsprechleitung zum Jäg.Rgt. 228 gestört war, wurde das Regiment durch drei Funkbefehle angewiesen, eine Kompanie auf die Sturmgeschütze, die dem Regiment zugeführt würden, aufsitzen zu lassen, Bogoroditschnoje zu nehmen und den dortigen Donezübergang zu sperren. Aber keiner der Funkbefehle konnte abgesetzt werden. Auf dem Div.-Gefechtsstand war nicht bekannt, daß sich das Rgt. 228 während der fraglichen Zeit gerade in Bewegung befand und daß die 1./Sturmgesch.Abt. 245 wegen der noch immer nicht vollständig geräumten Minen irgendwo zwischen Sslawjansk und Christischtsche festlag.

Obwohl diese Episode ohne Bedeutung für den Gang der Ereignisse blieb, fand sie Erwähnung, weil gezeigt werden soll, wie es zu undurchführbaren Befehlen kommen kann, wenn von vorne zu wenig gemeldet wird oder nicht gemeldet werden kann.

Der Generalstabsoffizier der Division hatte sich während der Abwesenheit seines Kommandeurs damit begnügen müssen, um 16.30 Uhr der 6./Fla. 24 zu befehlen, am 18. Mai früh Stellungswechsel in den Raum südlich Golaja Dolina zu machen, und um 16.40 Uhr die Radf.Abt. 101 anzuweisen, in den Wald ostwärts Christischtsche vorzurücken. Als ihm endlich um 18.30 Uhr gemeldet wurde, daß die Rollbahn bis zur Höhe 225,4 von Minen geräumt sei, ordnete er für die

Führungsstaffel des Divisionsstabes die Abfahrt zu dem im Nordteil von Christischtsche in Aussicht genommenen neuen Gefechtsstand an.

Während der Stab aufbricht, kommt der Div.-Kommandeur von vorne zurück. Er setzt sich mit seinem Wagen an den Anfang der Kolonne. Dann geht es an meistens haltenden Batterien, Munitionsstaffeln der Artillerie und an Gefechtstrossen der Jägerregimenter vorüber nach Christischtsche-Nord, wo man bei Dunkelheit gegen 20.00 Uhr eintrifft.

Kurze Zeit danach meldet sich der verwundete Adjutant des Jäg.Rgt. 228 auf dem neuen Div.-Gefechtsstand. Er berichtet über die derzeitige Lage seines Regiments. Dieses hatte gegen 18.00 Uhr den Nordrand des großen Waldes erreicht, ohne auf Gegner gestoßen zu sein. Vom Waldrand aus war zu erkennen, daß starker Feind in gut ausgebauten Stellungen die Höhe 199,5 besetzt hielt. Der schon am frühen Nachmittag zur Sicherung vorgeschobene Zug des I. Batl. hatte 30 Erdbunker gezählt und insgesamt 300 russische Soldaten beobachtet, die zur Verstärkung von rückwärts herankamen. Da die eigene Artillerie noch im Stellungswechsel begriffen und nicht feuerbereit war, und beim Regiment die schweren Infanteriegeschütze, panzerbrechende Waffen sowie Munition noch immer fehlten, mußte auf die Fortführung des Angriffes verzichtet werden. Auch das links benachbarte II. Batl. des Rgt. 229 hatte es abgelehnt, noch am Abend anzugreifen. Das Rgt. 228 gliederte sich deshalb für die Nacht zur Verteidigung um, mit seinem I. Batl. am Waldrand und seinem III. rechts rückwärts gestaffelt. Der Rgt.-Führer hat die Absicht, die Höhe 199,5 erst am kommenden Morgen zu nehmen.

Der Div.-Kommandeur erklärt sich mit der Verschiebung des Angriffes einverstanden. Er will den Einsatz von Flieger-

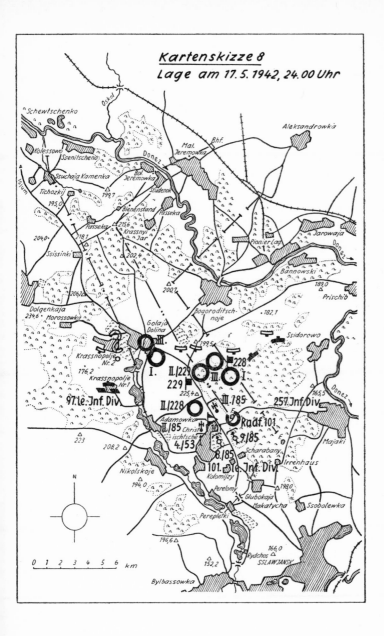

Kartenskizze 8
Lage am 17. 5. 1942, 24.00 Uhr

55

kräften gegen die Höhe 199,5 beantragen. Ferner soll dem Regiment während der Nacht wieder sein II. Batl. zugeführt werden. Dieses stehe in dem Waldstück nördlich Christisch-tsche, das es gegen Abend genommen habe. Nach Beendigung der Unterredung wird der Oberleutnant, der trotz seiner Verwundung nicht ins Lazarett will, mit einem Kübelwagen zu seiner Truppe zurückgebracht.

Gegen Mitternacht und kurz vor der Ausgabe des „Divi-sionsbefehls für die Fortsetzung des Angriffs am 18. Mai" meldet das Jäg.Rgt. 229 fernmündlich: „Golaja Dolina-Nord von III./229, Ostteil und Höhen südostwärts davon von I./229 genommen."

Damit hat die Division mit ihrem linken Regiment das be-fohlene Tagesziel erreicht. Skizze 8 zeigt die Abschlußlage des ersten Angriffstages. Der Nachtangriff des Jäg.Rgt. 229, der zur Wegnahme von Golaja Dolina führte, dürfte inter-essant genug sein, um nachstehend auf ihn einzugehen.

d) Nachtangriff des Jägerregiments 229

Bereits am frühen Nachmittag hatte das Regiment die Auf-stellung von Verkehrsposten bei der Höhe 225,4 veranlaßt. Diese Posten hatten alle eintreffenden Teile, Soldaten und Fahrzeuge daran zu hindern, in das vom Gegner eingesehene Gelände nördlich der Höhe vorzuprellen, und sie auf den Wald als weiteren Annäherungsweg zu verweisen.

Die ersten Fahrzeuge kamen aber erst um 18.00 Uhr her-an, weil die Straße vorher nicht freigegeben worden war. Die Pionierbataillone 213 und 101 waren den ganzen Tag über mit der Räumung der Minen beschäftigt gewesen, die der Russe in unwahrscheinlich großer Zahl im Zuge der Rollbahn verlegt hatte. (Allein das Pi.Batl. 213 baute in den ersten

Tagen 1750 Minen aus, beseitigte am Damm bei der Brücke nordostwärts Perepletki 17 Ladungen mit 820 kg Sprengstoff und machte eine große Zahl „Minenhunde" unschädlich. Der Russe hatte Hunde darauf abgerichtet, unter Panzer zu kriechen, wobei die auf ihrem Rücken befestigten Sprengladungen detonierten.)

Als erste Einheit traf die Pz.Jäg.Kp. 229 ein. Einige Zeit später folgten Gefechtsfahrzeuge mit Munition, die Feldküchen, die leichten Infanteriegeschütze der Bataillone und zuletzt der schwere Infanteriegeschützzug des Regiments. Sämtliche Fahrzeuge wurden innerhalb des Waldes ihren Einheiten zugeführt und getarnt unter Bäumen aufgestellt. Anschließend erfolgten Munitionierung und Verpflegungsausgabe.

Nachdem der Rgt.-Führer einen Nachtangriff in Erwägung gezogen hatte, um das Eingreifen der russischen Panzer und beobachtetes feindliches Feuer auszuschalten, begann er, die Vorbereitungen dafür zu treffen. Die Erkundung von Bäumen des Waldrandes aus ergab, daß sich das schwach abfallende, fast ebene und hindernisfreie Gelände mit der Rollbahn als „Bauernlineal", das die Orientierung und den Zusammenhalt der Truppe erleichterte, für einen derartigen Angriff sehr gut eignete. Auch war das Angriffsziel ohne Mühe zu finden. Das nächtliche Durchstoßen der Ortschaft hielt der Oberstleutnant ebenfalls ohne besondere Schwierigkeiten für möglich, weil er damit rechnete, den Gegner zu überraschen. Die spätere Umgliederung zur Verteidigung am jenseitigen Ortsrand war bei Nacht ebenfalls durchführbar. Die dem Div.-Kommandeur gegenüber zum Ausdruck gebrachte Absicht, das Tagesziel durch einen Nachtangriff zu gewinnen, wurde deshalb frühzeitig zum endgültigen Entschluß.

Das III. Batl. in Christischtsche-Nordost wurde durch

Funkbefehl so in Marsch gesetzt, daß es die Höhe 225,4 nach 19.30 Uhr, also erst nach Einbruch der Dunkelheit, überschritt. Sein Führer wurde mit einem Beiwagenkrad zum Rgt.-Gefechtsstand geholt, wohin auch die Führer der beiden anderen Bataillone und der Rgt.-Einheiten befohlen waren.

Anstelle des Führers des I. Batl., der sich zum II. Batl. begeben hatte, um die dortige Lage kennenzulernen, erschien der älteste Kompanieführer des I. Batl. Die Melder, welche die beiden Bataillonsführer heranholen sollten, waren im Walde auf versprengte russische Trupps gestoßen und hatten unverrichteter Dinge wieder umkehren müssen. Aber trotz dieser im Rücken des Regiments befindlichen Feindteile hielt der Oberstleutnant an seinem Entschluß zur Fortsetzung des Angriffs fest. Jedes Abwarten wäre fehl am Platze gewesen und hätte dem Gegner Zeit gegeben, sich in rückwärtigen Stellungen erneut festzusetzen.

Da auf die beiden fehlenden Bataillonsführer nicht gewartet werden konnte, erging in der Abenddämmerung am Waldrand und mit dem Blick ins Gelände an die versammelten Offiziere der Befehl zum Angriff gegen Golaja Dolina. Er hatte etwa folgenden Wortlaut:

„Feind verteidigt sich mit Panzern und Infanterie zwischen Höhe 199,5 und Golaja Dolina.

Jäg.Rgt. 229 greift nach Eintritt der Dunkelheit an und nimmt Golaja Dolina und die Höhen ostwärts davon.

Hierzu greifen nach kurzem Bereitstellungshalt in Höhe des Rgt.-Gefechtsstandes das III. Batl. links und das I. rechts der Rollbahn an. Angriffsziel für III. Batl. Golaja Dolina-Ost und für I. Batl. die Höhe ostwärts des Dorfes sowie der südöstliche Ortsteil.

Antreten wird nach dem Herankommen des III. Batl. befohlen. Um den Gegner zu überraschen, wird ohne Feuervorbereitung angegriffen. Ein VB der III./A.R. 85 tritt zum III. Batl.

Nach Erreichen der Angriffsziele gliedern sich beide Bataillone zur Verteidigung.

II. Batl. und Rgt.-Einheiten verbleiben in ihren derzeitigen Rasträumen.

Rgt.-Gefechtsstand ab Dunkelheit in „jener' Unterstandsgruppe an der Rollbahn. (Sie wird im Gelände gezeigt.) Nachrichtenzug baut dem III. Batl. Draht nach und verbindet beide. Bataillone mit dem Rgt.-Gefechtsstand. Funklinien wie bisher".

Als das III. Batl. die Gegend des Rgt.-Gefechtsstandes erreichte, war es bereits Nacht geworden. Nach kurzer Umgliederung und Bereitstellung setzten sich die zwei Bataillone in Bewegung und gingen mit etwa 200 m Zwischenraum beiderseits der Straße vor. Jedes Bataillon hatte einen durch Infanteriepioniere verstärkten und stoßtruppartig gegliederten Schützenzug an die Spitze genommen. Unmittelbar dahinter folgten einige schwere Maschinengewehre und ein leichtes Infanteriegeschütz. Die Masse der Bataillone marschierte fast aufgeschlossen in Doppelreihe.

Alles befleißigte sich größter Lautlosigkeit. Ausrüstungsstücke, die hätten klappern können, waren festgebunden worden oder wurden festgehalten.

Später drang einige Male aus nordwestlicher Richtung schwacher Gefechtslärm zum Gefechtsstand an der Rollbahn. Sonst blieb Ruhe.

Gegen 22.00 Uhr meldete das III. Batl., daß es Golaja Dolina nach überraschendem Einbruch und gegen schwachen feindlichen Widerstand genommen habe. Eine Stunde später traf auch vom I. Batl. die Meldung ein, daß es sich im Südostteil des Dorfes befinde. Anschließend wurde der Division fernmündlich das Erreichen des befohlenen Tageszieles gemeldet.

Betrachtungen zur Kampfführung beim Einbruch:

Die blutigen Ausfälle, die das harte Ringen um den Einbruch in die russische Verteidigungsstellung forderte, waren außerordentlich hoch; sie bildeten die Masse der 94 Gefallenen, 27 Vermißten und 455 Verwundeten des ersten Angriffstages. Dennoch wäre der Einbruch fast mißlungen. Daß er glückte, lag in erster Linie an der kaum zu übertreffenden Einsatzbereitschaft der angreifenden Jäger und Pioniere, denen der überstandene schwere Winter und die mit der Frühlingssonne wiedergewonnene Hoffnung auf einen guten Feldzugsausgang einen unvergleichlichen seelischen Auftrieb verliehen hatten. Wenn man ferner berücksichtigt, daß die russische Infanterie nicht überall so kämpfte, wie man es hätte erwarten dürfen, dann erscheint die Überlegung gerechtfertigt, ob der Angriff so, wie er erfolgt war, nach Planung und Durchführung die beste Lösung darstellte.

Daß der Schwerpunkt in die rechte Hälfte des Gefechtsstreifens der Division gelegt wurde, weil man damit rechnete, im Wald am ehesten überraschend vorankommen zu können, und daß man das für die weiteren Kämpfe entscheidende Höhengelände ostwärts Golaja Dolina als Tagesziel durch einen umfassenden Vorstoß gewinnen wollte, war zweifellos richtig. Da aber die Wegnahme der Höhe von Scharabany die Voraussetzung für den Durchbruch bildete, der kürzeste Weg dorthin durch den Gefechtsstreifen des Jäg.-Rgt. 229 führte und die russische Stellung nur gegenüber dem I./229 mit beobachtetem Feuer bekämpft werden konnte, hätte der Schwerpunkt unter allen Umständen an dieser Stelle gebildet und der Feind hier überrascht werden müssen. Stattdessen war nur ein Teil der Artillerie an der „Feuerzusammenfassung Kissel links" beteiligt. Sie wurde zudem erst 15 Minuten nach Angriffsbeginn ausgelöst, so daß weder von einem Schwerpunkt noch von einer Überraschung die Rede sein konnte.

Vor dem I./229 hätte von 03.05 Uhr bis mindestens 03.15 Uhr das Feuer der gesamten Artillerie zusammengefaßt werden müssen. Auch ein Stukaangriff gegen den Waldrand westlich des Irrenhauses wäre zur Ergänzung des Artilleriefeuers ver-

tretbar gewesen. Während dieser 10 bis 15 Minuten mußte das Bataillon mit zwei Kompanien in vorderster Linie – und nicht nur mit einer – im Sturmlauf an das eigene Vorbereitungsfeuer herangehen und mit den letzten Granaten einbrechen.

Der in breiterer Front und mit ausgewählten Stoßtrupps in vorderster Linie vorgetragene Angriff hätte das Abwehrfeuer der russischen Stellung, falls ein solches überhaupt wirksam geworden wäre, zersplittert und das Überwinden der Minensperren erleichtert. Daß die Minen überall in gleicher Dichte lagen, war sicherlich nicht der Fall.

Da eine vorherige Räumung der Minen schon wegen der Wahrung der Überraschung nur schwer durchführbar war, hätte man die Granatwerfer sowie die leichten und vor allem die schweren Infanteriegeschütze zum Schießen von Gassen heranziehen können. Allerdings mußte für eine derartige Verwendung der schweren Infanteriewaffen wie auch für den Einsatz der Artillerie genügend Zeit zur Vorbereitung zur Verfügung gestellt werden. Da die Masse der Unterstützungswaffen erst am 16. Mai nach Einbruch der Dunkelheit und wenige Stunden vor Angriffsbeginn in Stellung gebracht werden konnte, blieb für präzise Zielzuweisungen und für ein Einschießen nicht genügend Zeit. So brachten die VB der Artillerie gleich bei der Bereitstellung dem Führer des I./229 gegenüber ihre „erheblichen Bedenken" und ihre Zweifel zum Ausdruck, „ob es möglich sein werde, das Bataillon in gewohnter Weise zu unterstützen". Gewiß, die größere Lage forderte schnelles Handeln; wenn aber die Truppe zeitlich überfordert wird, dann ist das Wagnis sehr groß.

Die allzu knapp bemessene Zeit war auch die Ursache, daß den Sturmgeschützen keine Minensuchtrupps zugeteilt worden waren. Kriegsgliederungsmäßig verfügten Sturmgeschützeinheiten nicht über solche Trupps. Andererseits durfte der Führer dieser Geschütze das schwer ringende Bataillon nicht ganz ohne Unterstützung lassen. Die Zusammenarbeit kriegsgliederungsmäßig nicht zusammengehörender Verbände klappte in schwierigen Lagen häufig nicht, eine Erfahrung, die es verdient, mehr beachtet zu werden.

Ein wirklich schwerpunktmäßig geführter Angriff hätte das

I./229 zügig und, wie die Erfahrung bei allen schnell laufenden Angriffen lehrt, ohne nennenswerte Verluste auf die Höhe von Scharabany gelangen lassen. Da der Russe dort kaum voll abwehrbereit gewesen wäre, hätte das noch ganz kampfkräftige Bataillon unverzüglich weiterstoßen und die nächsten Angriffsziele frühzeitiger gewinnen können.

Der Führer des Regiments würde dann die Masse seines Verbandes durch die geschlagene Bresche nachgeführt haben, und seinem II. Batl. wäre der verlustreiche Einbruch ebenfalls erspart geblieben.

Vor dem Jäg.Rgt. 228 wäre das Nachgeben des Gegners frühzeitig wirksam geworden, so daß es sich erübrigt hätte, dieses Regiment der Gefahr eines Verblutens im Waldgefecht auszusetzen. Daß diese Gefahr bei einem taktisch und kampfmäßig richtigen Verhalten des Gegners riesengroß war, darf nicht übersehen werden.

Ein schnellerer Vorstoß hätte schließlich das Entkommen der russischen Verbände nach Norden verhindert, wodurch sich die gesamten Kämpfe der folgenden Tage leichter gestaltet hätten. Vorausschauend mußte man sich hierbei mit dem Problem der Panzerbekämpfung befassen. Möglich wäre ein Sperriegel in Gegend Höhe 225,4 gewesen, bei dem, solange Pak noch nicht heranzubringen war, Pioniere, Panzernahkampftrupps der Jäger und Teile der Luftwaffe hätten zum Zusammenwirken gebracht werden können.

Weil der Angriff zu langsam „rollte", zeitigte die beabsichtigte Umfassung am 17. Mai nur einen „ordinären" Sieg und führte an diesem Tag noch nicht zur Vernichtung des Gegners.

Dem Verteidiger mußte es entscheidend darauf ankommen, die beiden Stützpunkte „Glubokaja Makatycha" und „Brücke", 500 m nordostwärts Perepletki, durch zähe Ringsumverteidigung zu halten und sie keinesfalls durch Ausweichen aufzugeben. Solange er diese zwei Stützpunkte behauptete, hatte er freie Hand zu Gegenstößen und Gegenangriffen, und der Angreifer, ohne schwere Waffen und ohne Munitionsnachschub, wäre zu einem verlustreichen und vermutlich erfolglosen Ringen um den Einbruch gezwungen gewesen.

Betrachtungen zu dem Angriff durch den Wald:

Da es wegen der starken Verminung nicht möglich war, Panzerabwehrkanonen und Sturmgeschütze zur Bekämpfung der gegnerischen Panzer heranzubringen, mußte der große Wald zum weiteren Vorgehen ausgenutzt werden.

Wie bei jedem Angriff kommt es auch im Walde darauf an, das – in der Regel außerhalb gelegene – Angriffsziel schnell zu gewinnen. Deshalb darf sich ein Angreifer nicht in zeitraubende und kräfteverzehrende Waldkämpfe verwickeln lassen.

Um schnell vorwärtszukommen, ist die Angriffstruppe im Walde – im Gegensatz zu offenem Gelände – schmal und tief zu gliedern. Die „Angriffsspitze" muß in der Lage sein, auftretenden Feindwiderstand mit eigenen Mitteln schnell zu brechen. Dementsprechend ist sie als Stoßtrupp zu gliedern und mit Schnellfeuerwaffen, Nahkampfmitteln und Pioniergeräten auszustatten. Hinter der Angriffsspitze folgen – meistens dichtauf – die Kompanien hintereinander in Reihen – oder Doppelreihenformation, aber ebenfalls jederzeit kampfbereit.

Kann ein feindlicher Stützpunkt nicht sofort genommen werden muß er umgangen werden, wie dies im Falle der Försterei nordostwärts von Christischtsche durch das Rgt. 228 geschah. Die Ausschaltung von Feindteilen, die im Rücken des Angreifers noch halten oder versprengt wurden, ist Sache nachfolgender Verbände. Für die vorne angreifende Truppe kommt es vor allem darauf an, den Wald auf schnellstem Wege zu durchstoßen.

Weil das Jäg.Rgt. 228 so handelte und weil sich seine Jäger mit vorbildlicher Tapferkeit schlugen, war es in der Lage, in dem großen Forst derart schnell vorzustoßen. Entgegen kam ihm allerdings in gewissem Maße das Verhalten der gegnerischen Infanterie. Im Gegensatz zu den Panzer- und anderen Spezialverbänden des Russen erwies sich seine Infanterie wegen ihrer weniger guten Auslese und Ausbildung, ihrer meist schlechteren Führung und ihrer oft unbefriedigenden Kampfmoral der deutschen Infanterie in der Regel weit unterlegen. Die erwähnten Mängel mußten sich überall, in dem unübersichtlichen Waldgelände aber besonders ungünstig auswirken, wo es auf den

selbständigen Einzelkämpfer ankam, und wo das übliche so-
wjetische Überwachungssystem weitgehend unwirksam blieb.

Betrachtungen zu dem Nachtangriff des Jägerregiments 229:

Da der Russe durch seine Panzer, seine Artillerie und seine zahlreichen Granatwerfer den beiden deutschen Jägerregimentern im offenen Gelände überlegen war, kam der Angriff am Nordrand des großen Waldes zum Stehen. Um dennoch das befohlene Tagesziel zu erreichen, entschloß sich der Führer des Rgt. 229, den Angriff nach Einbruch der Dunkelheit fortzusetzen. Denn „der Nachtangriff begünstigt Überraschung, Täuschung und Tarnung und verspricht gegen einen in der Luft und auf der Erde überlegenen Feind einen bei Tage nicht erreichbaren Erfolg." (H.Dv. 130/20, Ausbildungsvorschrift für die Infanterie, Führung des Gren.Rgt., vom 21. März 1945, Ziff. 177.)

Der Erfolg eines Nachtangriffes ist abhängig von einer kühnen Führung, einem einfachen Angriffsplan, einem geeigneten Gelände, dem straffen Zusammenhalt der angreifenden Truppe und nicht zuletzt vom Gelingen der Überraschung. Seinem Wesen nach ist er ein Angriff mit begrenztem Ziel. Richtig durchgeführt, fordert er meistens nur sehr wenige oder gar keine Ausfälle. Er ähnelt dem Angriff durch einen Wald.

Da alle Voraussetzungen für einen günstigen Verlauf gegeben waren oder berücksichtigt wurden, führte der Nachtangriff des Jäg.Rgt. 229 ohne Verluste zum Erfolg.

V.

Die Fortsetzung des Angriffs am 18. Mai 1942

a) Gefechtsverlauf bis 14.00 Uhr

Kurz nach Mitternacht erfolgt die Ausgabe des „Divisionsbefehls für die Fortsetzung des Angriffs am 18. 5." (Anhang).
Er beruht auf dem um 22.35 Uhr als Fernschreiben eingegangenen Auftrag des LII. A.K., nach dem die 257. Inf.Div. Bogoroditschnoje zu nehmen und die 101. le. Inf.Div. an den
Donez ostwärts der Bachmündung nördlich von Ssuchaja Kamenka vorzustoßen und anschließend das Westufer des Donez
zu verteidigen hat.

Der Divisionsbefehl berücksichtigt noch nicht, daß sich
Golaja Dolina und die Höhe ostwärts davon bereits im Besitz des Jäg.Rgt. 229 befinden. Ein dringender Funkspruch
teilt diese Tatsache dem LII. A.K. um 02.55 Uhr früh mit
und bittet das Korps, auf Golaja Dolina keine Luftangriffe
anzufordern.

Nach ihrem Befehl wird die Division den Donez im Ab-
schnitt Wald nordostwärts Höhe 200,7 (2 km westlich von
Bogoroditschnoje) und Bachmündung (2 km nördlich von
Ssuchaja Kamenka) gewinnen und dann am Westufer des
Flusses zur Verteidigung übergehen. Die verstärkte Rgt.-
Gruppe Jäg.Rgt. 228 erhält den Auftrag, über die Höhe 200,7
in den Raum südwestlich Studenok vorzustoßen und diesen
Ort zu nehmen. Die verstärkte Rgt.-Gruppe Jäg.Rgt. 229 hat
über den Punkt 215,6 sowie den Höhenrücken 199,7 – 190,9

anzugreifen und den Ort Ssenitscheno in Besitz zu nehmen. Um 03.30 Uhr erhält die Radf.Abt. 101 Befehl, unverzüglich die Waldspitze 2 km südostwärts Punkt 199,5 zu erreichen, wo sie dem Jäg.Rgt. 228 unterstellt werde. Diese Maßnahme erschien notwendig, weil das II./228 von seinem Regiment noch nichts gehört und weder Munition noch Verpflegung erhalten hat.

Die Pz.Jäg.Abt. 101 wird um 04.00 Uhr mit der Übernahme des Panzerschutzes bei Golaja Dolina beauftragt. Gegen 05.30 Uhr werden die beiden auf Zusammenarbeit mit der Division angewiesenen 8,8-cm-Batterien (7. und 10./ Fla. 24) „im Raum Golaja Dolina eingesetzt". Im übrigen verlief die zweite Hälfte der Nacht zum 18. Mai ohne erwähnenswerte Ereignisse.

Um 05.30 Uhr überfliegen die gegen die Höhe 199,5 angeforderten Stukaverbände den Div.-Gefechtsstand, so daß mit einem planmäßigen Beginn des Angriffes gerechnet werden kann. Vom wolkenlosen Himmel strahlt die Sonne wie an den Tagen vorher.

Von den beiden Jägerregimentern laufen nur wenige Meldungen ein. Um 06.45 Uhr teilt das Rgt. 228 fernmündlich mit, daß es „die Straße Bogoroditschnoje, Golaja Dolina im Angriff überschritten" habe, und gegen 08.00 Uhr meldet das Rgt. 229, daß es sich im Vorgehen über Punkt 119,0 gegen den Südrand des großen Waldes nordwestlich von Bogoroditschnoje befinde. Einige Zeit später wird über das Nachrichtennetz der Artillerie bekannt, daß das Rgt. 229 in den Wald eingedrungen sei, und um 11.40 Uhr teilt das Rgt. 228 mit, daß es sich am Hinterhang der Höhe 200,7 eingegraben habe und gerade dabei sei, diese Höhe mit seinem III. Batl. ostwärts zu umgehen, um den Waldrand nördlich des Punktes 200,7 anzugreifen.

Um die Mittagszeit wird der Div.-Gefechtsstand nach Golaja Dolina verlegt. Infolge der erheblichen Zerstörungen findet der Stab nur unter großen Schwierigkeiten am Ostausgang der Ortschaft Unterkunft. Nach längerer Unterbrechung gehen hier zwischen 13.00 und 13.30 Uhr fernmündlich die – täglich zu erstattenden – „Zwischenmeldungen" der Regimenter und selbständigen Bataillone ein. Diese bringen endlich die ersten ausführlichen Orientierungen. Auf Grund dieser Nachrichten übermittelt die Division gegen 14.00 Uhr dem Korps ihre eigene „Zwischenmeldung":

„101. le. Inf.Div. hat unter wirksamer Unterstützung durch die Luftwaffe nach kurzem Kampf mit Rgt.-Gruppe 228 Höhe 199,5 und bereits um 06.30 Uhr mit vorderen Teilen dieser Gruppe die Höhe hart nördlich der Obstplantage genommen. Auf Höhe 199,7 sieben mehr als Zweischartenstände, acht Zweischartenstände, dazwischen viele ausgebaute Feldstellungen.

Nachdem sich Jäg.Rgt. 229 durch Kampf Ausgangsstellung für weiteren Angriff in nördlicher Richtung geschaffen hatte, traten beide Rgt.-Gruppen etwa gegen 08.00 Uhr über allgemeine Linie Südrand Bogoroditschnoje – 201,3 (Nordwestecke Golaja Dolina) zum Angriff an.

Um 09.00 Uhr Höhe 200,7 in eigener Hand; zur gleichen Zeit dringen vordere Teile des Jäg.Rgt. 229 in den Wald südlich Punkt 202,4 ein.

Durch Auftreten von sechs feindlichen Panzern (dabei ein T 34 und ein 52 t) verzögerte sich weiterer Angriff des Rgt. 228 bis 12.30 Uhr. Es wurden durch 1./Sturmgesch.Abt. 245 in schneidigem Angriff abgeschossen: ein T 34 und ein 52 t.

Zur Zeit beide Rgt.-Gruppen im Vorstoß gegen Norden bzw. Nordwesten des Waldgebietes südwestlich von Studenok. Zur Zeit nur geringer bzw. kein infanteristischer Widerstand. Rgt.-Gefechtsstand 229 bereits bei Punkt 215,6.

Radf.Abt. 101 als Divisionsreserve in Golaja Dolina-Nordwest. Div.-Gefechtsstand in Golaja Dolina-Nordost.

Heißer, windiger Sommertag."

Skizze 9 zeigt den Stand des Angriffes der Division auf Grund der „Zwischenmeldungen".

Der Verlauf des Vormittages läßt bereits erkennen, daß das Gefecht des 18. Mai ein anderes Gepräge hat wie dasjenige des Vortages. Dem hatte die Division in den Ziffern 3. und 6. ihres Befehls für den 18. Mai durch die Wahl der Bezeichnung „Rgt.-Gruppe" und die Unterstellung je einer Artillerieabteilung bereits Rechnung getragen. Während der erste Kampftag den Charakter eines mehr oder weniger straff geführten Divisiongefechtes trug, greifen am zweiten Tag die beiden verstärkten Jägerregimenter im Sinne der ihnen erteilten Aufträge weitgehend selbständig als „Kampfgruppen" an. Diese Erkenntnis gibt Veranlassung, die Kampfführung der zwei Rgt.-Gruppen einer eingehenden Betrachtung zu unterziehen.

b) Verfolgungsgefecht des Jägerregiments 229

Beim Gefechtsstand des Jäg.Rgt. 229 in der Unterstandsgruppe an der Rollbahn traf der „Divisionsbefehl für die Fortsetzung des Angriffs am 18. 5." um 02.00 Uhr früh ein. Gegen 03.00 Uhr begann der neue Tag zu grauen.

In der Morgendämmerung fuhr der Rgt.-Führer zu seinen beiden Bataillonen in Golaja Dolina. Hinter seinem Kübelwagen folgten die Solokräder und die wenigen Beiwagenmaschinen des Stabes mit den Meldern und Funktrupps. Auf der ausgetrockneten Fahrbahn hinterließ die kleine Kolonne eine dichte Staubwolke, die noch längere Zeit über der Erde schwebte.

Das letzte Stück des Weges führte ziemlich steil bergab. In dem nach ukrainischer Art weiträumig gebauten Dorf mit seinen teilweise zerstörten kleinen Lehmhäusern schien alles

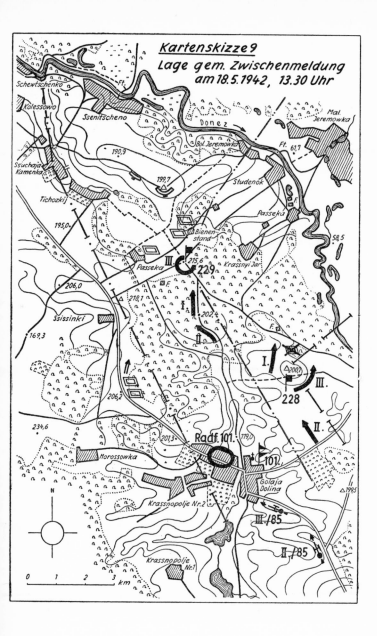

Kartenskizze 9
Lage gem. Zwischenmeldung
am 18.5.1942, 13.30 Uhr

noch zu schlafen. Plötzlich schlug den auf der Dorfstraße dahinrollenden Kraftfahrzeugen Maschinengewehr- und Gewehrfeuer entgegen. Es kam aus dem nördlichen Ortsteil und anscheinend von der Anhöhe mit der kleinen Kirche. Die Fahrzeuge suchten sofort Deckung hinter Häusern und Mauerresten, und der Oberstleutnant begab sich, die eingesehene Straße meidend, zu Fuß zum Gefechtsstand seines III. Batl.

Bald knallte es allenthalben. Die Schießerei brachte die deutschen Soldaten schnell aus ihren Häusern heraus. Es zeigte sich, daß der Feind noch in der nördlichen Ortshälfte saß und daß während der Nacht Deutsche und Russen einträchtig im Dorfe geruht hatten. Den übermüdeten Soldaten des III. Batl. war es bei ihrem nächtlichen Angriff entgangen, daß es einen nördlichen Ortsteil gab, der vom südlichen etwas abgesetzt war, und die Offiziere hatten es unterlassen, energisch für Gefechtsaufklärung zu sorgen.

Betrachtung zum Problem der Erschöpfung:

Bei jeder stark erschöpften Truppe ist die Gefahr groß, daß sie – vor allem bei Nacht – vergißt, sich ausreichend zu sichern und gegen den Gegner aufzuklären. Im Rußlandkrieg kosteten solche Unterlassungen unzähligen Soldaten Leben oder Freiheit und manchem Verband sein Bestehen. Zahllose Rückschläge mit oft weitreichenden Nachteilen waren die Folge unzulänglicher Sicherung und Aufklärung. Deshalb kann schon bei der Ausbildung nicht eindringlich genug auf die lähmende Wirkung hingewiesen werden, welche jeder körperliche und geistige Erschöpfungszustand auf das bewußte Denken und Handeln des Menschen ausübt.

Auf dem Gefechtsstand des III. Batl. wurden sofort alle Maßnahmen ergriffen, um die ganze Ortschaft vom Gegner zu säubern. Die Anhöhe mit der Kirche wurde unter Granatwerfer- und Maschinengewehrfeuer genommen und von einer Jägerkompanie gestürmt. Eine zweite Kompanie gewann den Ortsrand beiderseits des über Punkt 119,0 nach Norden führenden Weges. Einige Gefangene wurden eingebracht.

Während des Kampfes traf der Radfahrzug des Regiments in Golaja Dolina ein. Er erhielt den Auftrag, dem weichenden Feind nachzustoßen und festzustellen, ob die „Golaja Dolina-Schlucht", die sich vom Nordausgang des Dorfes nach Norden zog, und die Waldränder, die dieses steil eingeschnittene Tal im Norden und Nordwesten begrenzten, feindfrei seien. Der Rgt.-Führer beabsichtigte, zunächst diese Schlucht zum Vorgehen auszunutzen, dann in dem großen Wald unterzutauchen und diesen, dem Divisionsbefehl entsprechend, auf kürzestem Wege zu durchstoßen. Auf diese Weise würde das Regiment wie tags zuvor den russischen Panzern und Fliegern entgehen und voraussichtlich am besten in seinen Verteidigungsabschnitt gelangen können.

Dementsprechend erhielten die Führer des III. und des I. Batl. gegen 05.00 Uhr den Befehl, sich am Nordrand von Golaja Dolina – III. Batl. westlich und I. ostwärts des Talweges – zum Angriff bereitzustellen. Das Regiment werde in schmaler und tiefer Gliederung im Zuge der Schlucht angreifen. Der Zeitpunkt des Antretens werde noch bekanntgegeben.

Dem II. Batl., der Pz.Jäg.Kp. 229, der Stabskompanie mit dem schweren Infanteriegeschütz- und dem Nachrichtenzug sowie der unterstellten 3./Pi.Batl. 101 wurde befohlen, den Südteil von Golaja Dolina zu erreichen.

Gegen 05.40 Uhr war aus östlicher Richtung erheblicher Gefechtslärm zu vernehmen. Vermutlich war der rechte Nachbar, das Jäg.Rgt. 228, zum Angriff gegen die Höhe 199,5 und das Höhengelände nordwestlich davon angetreten.

Kurz nach 06.00 Uhr wurden der Kommandeur der unterstellten III./Art.Rgt. 85 sowie die Chefs der beiden 8,8 cm-Batterien des Fla.Rgt. 24, die sich inzwischen beim Rgt.-Führer eingefunden hatten, von diesem über seine Absichten orientiert und angewiesen, den Angriff zu überwachen und durch ihr Feuer zu unterstützen. Insbesondere sollten die offenen Flanken der im Tal vorstoßenden Bataillone gegen Bedrohungen von den beiderseits ansteigenden Höhen geschützt werden. Da sich die Feuerstellungen der III./Art. Rgt. 85 noch unweit nordostwärts Christischtsche befanden und diese große Entfernung die Unterstützung erschwerte, wurde der Abteilungskommandeur angewiesen, mit seinen beiden Batterien frühzeitig Stellungswechsel zu machen. Die zwei Flakbatterien, die sich noch im Anrollen befanden, konnten mit ihren 8,8 cm-Kanonen den Angriff bis zum Waldrand aus offenen Feuerstellungen auf der Höhe südostwärts von Golaja Dolina sehr gut unterstützen.

Dem Chef der Pz.Jäg.Kp. 229, der seiner Kompanie ebenfalls vorausgefahren war, wurde befohlen, den Schutz des Regiments gegen feindliche Panzer zu übernehmen und dem III. und dem I. Batl. je einen leichten Pakzug zu unterstellen. Der Führer der beiden schweren Infanteriegeschütze erhielt den Auftrag, den Angriff aus Stellungen südostwärts von Golaja Dolina zu unterstützen und sich insbesondere auf die Bekämpfung von Punktzielen an den Waldrändern einzustellen. Zuletzt wurde die 6./Fla. 24 gebeten, das Regiment während der Bereitstellung und beim Angriff gegen feindliche Tiefflieger zu schützen.

Nach der Erteilung dieser Einzelbefehle begab sich der Oberstleutnant zu Fuß zur Kirchenhöhe, wo der Rgt.-Gefechtsstand eingerichtet wurde. Seinen Kübelwagen ließ er zunächst zurück, weil ihm gemeldet worden war, daß die

Dorfstraßen durch Minen stark verseucht seien. Unterwegs fuhr dicht neben ihm ein Gefechtsfahrzeug eines Bataillons auf eine Mine, wobei der Fahrer und beide Pferde getötet wurden. Auch an anderen Stellen detonierten wiederholt Minen.

Die am Nordausgang des Dorfes gelegene Kirchenhöhe gewährte einen guten Überblick über die Schlucht bis zu den sich auf der Höhe hinziehenden Waldrändern. Nach Osten wurde die Sicht durch das Höhengelände nördlich der Straße nach Bogoroditschnoje begrenzt. Eine Sicherung, die nach rechts hinausgeschoben wurde, beobachtete Soldaten des rechten Nachbarregiments, die sich im Anstieg auf diese Höhen befanden. In westlicher Richtung reichte der Blick über das Dorf hinweg bis zu der Höhe von Morossowka.

Gegen 07.30 Uhr lief eine Meldung des Radfahrzuges ein, aus der hervorging, daß der Zug etwa 1500 m in der Schlucht vorangekommen war und dann Feuer von Granatwerfern und Scharfschützen erhielt. Der Zugführer ließ mitteilen, daß er versuchen werde, weiter vorzukommen.

Kurze Zeit danach meldete der schwere Infanteriegeschütz-zug seine Feuerbereitschaft, und ungefähr gleichzeitig erkannte der Rgt.-Führer an den knallenden Abschüssen der 8,8 cm-Kanonen und den Einschlägen am Waldrand, daß die beiden Flakbatterien ebenfalls in Stellung waren. Da er nur schwache Nachttruppen des Gegners vermutete und die ausreichende Unterstützung des Angriffes sichergestellt war, entschloß er sich, mit dem Angriffsbeginn nicht länger zu warten. Er erteilte seinem III. Batl. den Befehl, sofort anzutreten, auf dem Westhang der Schlucht vorzugehen und den großen Wald auf schnellstem Wege zu gewinnen.

Wenig später war zu sehen, wie dieses Bataillon aus seinem Bereitstellungsraum heraustrat und mit einem Stoßtrupp an der Spitze in schmaler Formation westlich des Talweges vorging. Die eigenen schweren Waffen – leichter Infanteriegeschützzug, Granatwerfer und schwere Maschinengewehre – überwachten sein Vorgehen in sich überschlagendem Einsatz.

Das I. Batl., das seine Bereitstellung beim Antreten des III. noch nicht beendet hatte, folgte gegen 08.30 Uhr in ähnlicher Gliederung auf dem ostwärtigen Hang der Schlucht. Dem II. Batl. wurde befohlen, sich an das III. anzuhängen und der Rgt.-Stabskompanie, sich in die Kolonne einzugliedern, sobald der Anfang des Regiments im Walde verschwunden sei.

Die beiden vorderen Bataillone kamen ungefähr 1500 m vor, ohne vom Gegner beschossen zu werden. Dann setzte feindliches Granatwerferfeuer ein. Das Vorgehen verlangsamte sich und geriet schließlich ganz ins Stocken. Die Artillerie, die beiden Flakbatterien und der schwere Infanteriegeschützzug verstärkten ihr Feuer.

Der Oberstleutnant, der das Vorgehen seiner Bataillone von der Anhöhe aus gut verfolgen konnte, hatte währenddessen in westlicher Richtung und etwa 4000 m entfernt mit dem Glase Panzer beobachtet, die sich nach Norden bewegten. Er sprach sie als Teile der im Gefechtsstreifen des linken Nachbarn zum Durchbruch angesetzten Panzerdivision an. Von der 97. le. Inf.Div. selbst war nichts zu erkennen.

Plötzlich knallte es rückwärts. Gewehrkugeln pfiffen von hinten, und zwei Soldaten des Regimentsstabes sanken getroffen zu Boden. Andere Soldaten stürzten dorthin, von wo die Schüsse kamen. In einem Gebüsch befand sich ein gut getarnter Erdschartenstand. Einige Handgranaten förderten drei Sowjets zutage, die sich in dem Schartenstand verborgen gehalten und aus dem Hinterhalt geschossen hatten.

Der zum Abtransport der beiden Verwundeten herangeholte Krankenkraftwagen fuhr auf dem in unmittelbarer Nähe vorüberführenden Weg auf eine Mine, die den Wagen zerstörte. Der Fahrer und der ihn begleitende Krankenträger wurden dabei schwer verletzt.

Auch im Dorfe detonierten noch immer Minen. Der Chef der 3./Pi.Batl. 101, die mit der Säuberung der Ortschaft bereits begonnen hatte, wurde nachdrücklich angewiesen, alles zu tun, um „dieser Schweinerei" ein Ende zu bereiten.

Betrachtungen zum Einsatz der Minen durch den Russen:

In der Verteidigung und beim Rückzug erwies sich der Russe als ein Meister im Einsatz von Minen aller Art. Ausgedehnte Minenfelder, Minensperren und Minen im Streueinsatz verlegte er in außerordentlich kurzer Zeit und mit größter Geschicklichkeit. Sogar ein dichtauf folgender Angreifer vermochte ihn selten daran zu hindern, vor dem Ausweichen noch Minen zu verlegen. Dadurch gelang es ihm immer wieder, die angreifenden oder verfolgenden deutschen Truppen aufzuhalten und ihnen oft empfindliche Ausfälle zuzufügen. Er verwendete überwiegend Minentypen, auf welche elektrische Suchgeräte nicht ansprachen und die deshalb besonders unangenehm waren.

Gegen 09.30 Uhr brachte ein Melder des III. Batl. die Nachricht, daß dessen junger Führer, ein Oberleutnant, durch Volltreffer eines Granatwerfers gefallen sei. An der Stelle des Gefallenen habe der älteste Kompaniechef die Führung des Bataillons übernommen.

Erfreulicher als diese Meldung war die Beobachtung, daß der Gefechtslärm vorne schwächer wurde. Unter dem Eindruck und der Wirkung des Feuers der deutschen Geschütze begann der Feind seine Stellungen zu räumen. Kurze Zeit später kam dann auch der Angriff der beiden Bataillone wieder in Fluß.

Bei der Beurteilung der nunmehrigen Lage gelangte der

Rgt.-Führer zu dem Entschluß, unverzüglich die Verfolgung des ausweichenden Gegners aufzunehmen. Da aber die beiden Bataillone von sich aus nicht beweglich genug waren, um rasch folgen und ohne Zeitverlust die einzuschlagenden Waldwege erkunden zu können, und da außerdem in solchen Augenblicken die persönliche Anwesenheit des übergeordneten Führers eine nicht zu unterschätzende Bedeutung gewinnt, befahl der Oberstleutnant für die Führungsstaffel seines Stabes Stellungswechsel. Er wollte sich zum III. Batl. und an die Spitze seines Regiments begeben. Der Ordonnanzoffizier sollte den bisherigen Gefechtsstand besetzt halten, bis der neue – voraussichtlich bei Punkt 215,6 – eingerichtet sei.

In flotter Fahrt gelangten der Kübelwagen und die Krafträder der Führungsstaffel zu dem am Wege liegenden toten Oberleutnant, den sein Rgt.-Führer zum letzten Male grüßte. In unmittelbarer Nähe befand sich der Truppenverbandsplatz des Bataillons mit dem Arzt und einer Anzahl nicht marschfähiger Verwundeter.

Wenige Minuten später traf die kleine Kolonne beim Stab des III. Batl. ein, wo sich auch die Führer des Infanteriepionierzuges des Bataillons, des unterstellten Pakzuges und des Radfahrzuges aufhielten. Der Oberstleutnant teilte den anwesenden Offizieren und Unteroffizieren mit, daß er mit allen greifbaren beweglichen Teilen bis zum Waldrand vorstoßen und dort den weiteren Angriffsweg erkunden und bestimmen werde.

Nach dieser Orientierung nahmen die Infanteriepioniere mit ihren Minensuchgeräten auf den Fahrzeugen des Regimentsstabes und des Pakzuges Platz, und los ging die Fahrt. Der Radfahrzug sollte folgen. Da aber das Gelände merklich anzusteigen begann, mußten die Fahrräder bald geschoben werden.

Rasch und ohne Zwischenfall wurde der Waldrand erreicht, wo sich der bisher benutzte Talweg auf der Höhe in mehrere Waldwege teilte und wo sich noch kurz vorher eine russische Maschinengewehrstellung befunden haben mußte. Von den Waldwegen war nur einer ausreichend breit und offensichtlich häufiger befahren; nur dieser gestattete das Mitführen der schweren Infanteriewaffen und der Gefechtsfahrzeuge. Der Infanteriepionierzug wurde beauftragt, den Waldeintritt nach Minen abzusuchen. Der Pakzug übernahm die Sicherung. Ein Kradmelder wurde zur Einweisung des III. Batl. zurückgeschickt.

Dann fuhr der Rgt.-Führer mit seinen Meldern und einigen Infanteriepionieren den Waldrand nach links und nach rechts ab, um weitere Wege zu suchen. An einer Stelle erhielt die kleine Kolonne Feuer aus einem zurückgebliebenen Feindnest. Nach Erwiderung des Feuers ergaben sich zwei russische Soldaten. Aber die wenigen gefundenen Wege erwiesen sich als zu schmal und in ihrem weiteren Verlauf als nicht befahren. Der Oberstleutnant entschloß sich deshalb, den Forst nur auf dem zuerst gefundenen breitesten Weg zu durchstoßen. Ein zweiter Kradmelder wurde zum I. Batl. und anschließend nach Golaja Dolina entsandt mit dem Befehl: „Regiment durchstößt den großen Wald auf einem einzigen Wege. I. Batl. hängt sich an das III. an; das II. folgt dem I. Batl. Sicherung der Flanken durch jedes Bataillon selbständig."

Als gegen 11.00 Uhr die vordersten Teile des III. Batl. im Walde verschwunden waren, traf ein starker Artilleriefeuerüberfall unerwartet die Eintrittsstelle in den Wald. Die Abschüsse waren in südwestlicher Richtung zu hören. Lagenweise rauschten die Granaten heran und zerkrachten zwischen den Bäumen. Splitter surrten durch die Luft und klatschten in das Holz der Stämme; Äste fielen zur Erde. Rauch und Staub stiegen hoch und verdunkelten die Sonne. Pferde gingen durch. Verwundete riefen um Hilfe. Eine allgemeine Panik drohte.

War es möglich, daß russische Batterien noch so weit südlich standen? Nach dem Klang der Abschüsse und dem Geräusch der heranrauschenden Geschosse mußte es sich um deutsche Haubitzen handeln. Der Oberstleutnant ließ deshalb weiße Leuchtkugeln schießen, um so die eigene vordere Linie zu bezeichnen, worauf das Feuer verstummte. Das Regiment setzte sich erneut in Bewegung. Der Rgt.-Führer fuhr mit seinem Wagen zur vordersten Kompanie des III. Batl.

Beim weiteren Vorgehen stieß die Spitze des Regiments wiederholt auf schwachen Feind, wobei es zu kurzen Schießereien und kleinen Aufenthalten kam. Einmal fuhr ein mit vier sowjetischen Stabsoffizieren besetzter Kübelwagen auf einem von rechts heranführenden Waldweg in die Flanke der langen Marschkolonne. Einige Schüsse, und mit Hallo und Lachen wurde der Wagen samt Besatzung „vereinnahmt". Die russischen Offiziere waren höchst betroffen, an dieser Stelle deutsche Truppen anzutreffen.

Gegen 13.00 Uhr wurde der nördliche Waldrand erreicht, der befehlsgemäß nicht überschritten werden sollte. Der vorderste Pakzug, der am Waldrand zur Sicherung in Stellung fahren wollte, preschte ungeschickterweise zu weit nach vorne, worauf er sofort Feuer von Panzern erhielt. In der 1000 m nordostwärts sichtbaren Waldecke standen mehrere T 34, die von dort geschossen hatten. Auch halblinks vorwärts beobachtete ein Jäger, der einen Baum erstiegen hatte, zwei Panzer, die sich zwischen den Häusern eines dort gelegenen Weilers bewegten. Etwa 3000 m nördlich erstreckte sich der deutlich erkennbare Höhenrücken 199,7 – 190,9, auf dem mit dem Fernglas Erdarbeiten und einzelne Gruppen schanzender Russen zu sehen waren. Die Orientierung im Gelände ergab, daß das Regiment über den Punkt 202,4 vorgestoßen war und den Waldrand, wie befohlen, bei Punkt 215,6 erreicht hatte.

Die gegnerischen Panzer in dem offenen Gelände vorwärts des Waldes stellten das Regiment vor dasselbe Problem, vor dem es auch tags zuvor gestanden hatte. Ohne panzerbrechende Waffen mit ausreichender Wirkung gegen die T 34 und ohne eine planmäßige Bereitstellung zum Angriff, der durch Artillerie und andere schwere Waffen unterstützt werden mußte, war an ein Heraustreten aus dem Walde nicht zu denken. Dementsprechend wurden die Bataillone angewiesen, innerhalb ihrer Verbände aufzuschließen und bis zum Empfang weiterer Befehle den Vormarschweg entlang zu rasten. Aufklärung in westlicher Richtung bis Punkt 218,1 sollte durch das III. und nach rechts bis zum Waldrand südostwärts „Bienenstand" durch das I. Batl. vorgenommen werden; Verbindung zu den Nachbarn war zu suchen.

Bereits um 13.15 Uhr brachte der dem Regiment zugeteilte Fernsprechtrupp der Na.Abt. 101 den Draht und richtete hinter einer dicken Buche, etwa 150 m südostwärts des Punktes 215,4, eine Sprechstelle ein. Da nach kurzer Zeit eine Sprechverbindung zustande kam, konnte der Oberstleutnant den Ia der Division frühzeitig über die Lage des Regiments orientieren. Er teilte ihm seine Absicht mit, sich südlich des Waldrandes zum weiteren Angriff bereitzustellen und anzutreten, sobald panzerbrechende Waffen eingetroffen und die Artillerie sowie die Masse der schweren Infanteriewaffen feuerbereit seien. Er bat ferner um Zuführung der Sturmgeschütze. Von der Division erfuhr er bei dieser Gelegenheit, daß sich das Rgt. 228 noch im Raume der Höhe 200,7 befinde und daß die im Gefechtsstreifen der linken Nachbardivision vorstoßenden Panzerverbände den 5 km südlich von Isjum gelegenen Punkt 185,4 erreicht hätten.

c) Angriff des Jägerregiments 228

Beim Gefechtsstand des Jäg.Rgt. 228 im Wald, 2 km südostwärts Punkt 199,5, war der „Divisionsbefehl für die Fortsetzung des Angriffs am 18. 5." an diesem Tage um 02.30 Uhr früh eingegangen. Nach diesem Befehl hatte das Rgt. 228 den Auftrag, über die Höhen 199,5 und 200,7 anzugreifen und die Ortschaft Studenok zu nehmen und zu halten.

Zwischen 04.05 und 04.45 Uhr erfolgte mündlich die Befehlsausgabe an die auf dem Gefechtsstand versammelten Führer des I. und des III. Batl., der 16. und der Stabs-Kp. 228, der II./Art.Rgt. 85, der 2./Pi.Batl. 101 und der 1./Sturmgesch.Abt. 245. Während der Befehlsausgabe erfuhr der Rgt.-Führer, daß ihm an Stelle seines II. Batl., dessen Zuführung sich verzögere, die Radf.Abt. 101 unterstellt werde.

Ab 05.30 Uhr bombardierten die deutschen Flieger die Höhe 199,5 mit „vernichtender Wirkung", und um 05.40 Uhr trat das Regiment mit seinem III. Batl. rechts und seinem I. Batl. links zum Angriff an. Die stark ausgebaute Höhe 199,5 wurde bereits um 06.00 Uhr in Zusammenarbeit mit den Sturmgeschützen genommen. Dabei wurden rund 60 Gefangene gemacht und mehrere Maschinengewehre sowie sonstiges Gerät erbeutet. Anschließend wurde, ohne die Feuerbereitschaft der Artillerie, die sich im Stellungswechsel befand, abzuwarten, der Angriff gegen die Höhe 200,7 fortgesetzt.

Um 09.00 Uhr gelangten die vordersten Teile des Regiments auf die Höhe 200,7. Doch konnten diese die Kuppe der Höhe nicht überschreiten, weil sie von mindestens sechs feindlichen Panzern, darunter einem 52 t-Wagen, die am Waldrand nordostwärts des Punktes 200,7 standen, Feuer erhielten. Das Regiment grub sich daraufhin auf dem vom Gegner nicht eingesehenen Hinterhang dieser Höhe ein, um die Feuerbereitschaft der Artillerie abzuwarten.

Inzwischen waren die Führer der unterstellten Verbände zum Rgt.-Gefechtsstand befohlen worden. Auch der seinem Bataillon vorausgefahrene Adjutant des II. Batl. fand sich ein. Den versammelten Offizieren wurden um 10.30 Uhr mündlich die Weisungen zur Fortführung des Angriffes erteilt.

Dem III. Batl. wurde befohlen, die Kuppe 200,7 ostwärts zu umgehen und dann, in nördlicher Richtung angreifend, den Einbruch in die vorspringende Waldnase zu erzwingen. Das I. Batl. sollte dem III. zunächst Feuerschutz geben und ihm nach vollzogenem Einbruch nachfolgen. Die II./Art. Rgt. 85 und die 1./Sturmgesch.Abt. 245 erhielten den Auftrag, den Angriff des III. Batl. zu unterstützen. Das II. Batl., das im Wald ostwärts Golaja Dolina gerastet hatte, wurde angewiesen, sich zur Höhe 200,7 in Marsch zu setzen. Es sollte die Verteidigung dieser Höhe übernehmen und mit „stärkeren Teilen" in nordostwärtiger Richtung durch den Wald bis zum Donez vorstoßen. Die Radf.Abt. 101 wurde befehlsgemäß nach Golaja Dolina-Nordwest zurückgeschickt.

Um 11.00 Uhr eröffneten die Sturmgeschütze aus eigenem Entschluß das Feuer gegen die am Waldrand stehenden Feindpanzer und schossen mehrere davon in Brand. Auch der 5 cm-Pakzug des Regiments beteiligte sich an diesem Feuerkampf. Währenddessen war das III. Batl., die Kuppe 200,7 ostwärts umgehend, zum Angriff angetreten.

Da der Rgt.-Führer nach diesen Abschußerfolgen der Sturmgeschütze nur noch mit einem schwachen Widerstand des Gegners rechnete, befahl er dem südlich der Kuppe eingegraben bereitliegenden I. Batl., sofort in Richtung der 1500 m nordnordwestlich gelegenen Försterei (F) anzutreten und diese in Besitz zu nehmen. Das Bataillon setzte sich alsbald mit seinen hintereinander entfalteten Kompanien in Bewegung und erreichte gegen 12.45 Uhr das ihm befohlene Angriffsziel, ohne auf einen nennenswerten Widerstand gestoßen zu sein.

Nachdem der Rgt.-Führer seinem III. Batl. Melder nachgeschickt hatte, die dieses Bataillon zur Försterei umleiten sollten, erstattete er dem Ia der Division die täglich fällige Zwischenmeldung. Die unterstellten Sturmgeschütze mußten auf Befehl der Division dem Rgt. 229 zur Verfügung gestellt werden.

Nach dem Gespräch mit der Division erhielt das I. Batl. fernmündlich den Auftrag, den „Bienenstand", 3 km südwestlich von Studenok, zu gewinnen, Sicherungen gegen diese Ortschaft vorzuschieben und bis zum Aufschließen des III. Batl. die Möglichkeiten zur Fortführung des Angriffes zu erkunden. Das II. Batl., das gerade herankam, wurde angewiesen, „unter Sicherstellung der Verteidigung von 200,7 mit Nachdruck gegen den Donez aufzuklären."

Als die Führungsstaffel des Regiments bei der Försterei eintraf, war das I. Batl. bereits abgerückt und das III. noch nicht eingetroffen. Letzteres kam gegen 13.45 Uhr heran; es war von den ihm nachgeschickten Meldern erst nach längerem Suchen gefunden worden. Ohne eine Rast einzulegen, setzte sich der Regimentsstab an die Spitze des III. Batl., um auf dem Weg, den das I. Batl. eingeschlagen hatte, zu folgen.

d) Gefechtsverlauf am Nachmittag

Solange die Drahtverbindungen vom Div.-Gefechtsstand in Golaja Dolina-Ost nach vorne intakt sind und einen regen Gedankenaustausch ermöglichen, können sich der Div.-Kommandeur und sein Ia über die Ereignisse bei den beiden Jägerregimentern auf dem laufenden halten.

Kurz vor 15.00 Uhr nimmt der Div.-Kommandeur vom Führer des Jäg.Rgt. 229 die Meldung entgegen, daß ein Baumbeobachter in Richtung Studenok dichte Staubwolken und zahllose Fahrzeuge erkannt habe, die anscheinend einer dort vorhandenen Brücke über den Donez zustreben. Über die Lage beim Rgt. 229 erfährt der Div.-Kommandeur, daß dieses nach wie vor von zahlreichen gegnerischen Panzern aufgehalten wird, die in dem Waldstück nordostwärts Punkt 215,6 und in Passeka stehen. Der Rgt.-Führer erinnert deshalb an die Zuführung der Sturmgeschütze. Der Div.-Kommandeur veranlaßt, daß diese durch einen Offizier des Regiments am Nordausgang von Golaja Dolina abgeholt werden. Zwei Flakkampftrupps zur Panzerbekämpfung seien zum Regiment bereits in Marsch gesetzt worden. Nach Ansicht des Rgt.-Führers werde es nicht vor 17.30 Uhr möglich sein, erneut zum Angriff anzutreten.

Während dieser Unterredung geht beim Div.-Gefechtsstand eine Fliegermeldung ein, die von einer großen Fahrzeugansammlung (etwa 400 Stück) in Studenok berichtet. Beim Korps wird daraufhin ein Stukaangriff auf diese Fahrzeugansammlung beantragt.

Gegen 15.30 Uhr läßt sich der Generalstabsoffizier der Division vom Führer des Jäg.Rgt. 228 über die Lage bei diesem Regiment orientieren. Der Regimentsstab sei um 13.45 Uhr an der Spitze des III. Batl. von der Försterei aufgebrochen, um dem I. Batl. nachzufolgen. Aber schon gegen 14.30 Uhr sei die Führungsstaffel im Walde überraschend auf zwei schwere Feindpanzer gestoßen, die sich zwischen das I. und das III. Batl. geschoben hatten, und die anscheinend den Rückzug des Gegners über den Donez decken sollten. Die Panzer ständen auf Schneisenkreuzungen und würden sich gegenseitig flankieren. Durch eine Art Palisadenwände seien sie gegen panzerbrechende Waffen und durch ringsum eingesetzte Infanterie gegen Nahangriffe gesichert. Ein dritter Panzer halte Verbindung mit einem ostwärts befindlichen weiteren „Panzerstützpunkt".

Das Kriegstagebuch des Jäg.Rgt. 228 enthält über den Kampf mit diesen „Panzerstützpunkten" folgende Eintragung: „In schneidigem Einsatz versucht das eine Geschütz des schweren Infanteriegeschützzuges unter seinem Zugführer dem Bataillon den Weg freizumachen. In heftigem Beschuß feuert das Geschütz, bis der letzte Mann tot oder verwundet ist. Auch eine nach vorn gezogene 5 cm-Pak bekämpft die Panzer, ohne eine Wirkung erzielen zu können. Das Heranschaffen einer 3,7 cm-Pak zum Einsatz einer Stielgranate* erweist sich als nicht möglich. Die Panzernahkampftrupps werden von den infanteristischen Sicherungen der Panzer abgewiesen. Der Weg bleibt dem III. Batl. versperrt."

Da alle Versuche, frontal durchzubrechen, gescheitert seien, habe sich der Regimentsstab zur Försterei zurückbegeben, wo sich der Gefechtsstand noch befinde. Das III. Batl. habe bei den Panzern einen verstärkten Zug zurückgelassen und ziehe sich ebenfalls zur Försterei zurück. Das Regiment beabsichtige, den Austritt aus dem Walde weiter ostwärts zu erzwingen. Der Ia wird außerdem über eine vom I. Batl. ein-

---

* Spezialgranate auf einem Stiel montiert, der in das Geschützrohr eingeführt wurde.

84

gegangene Funkmeldung unterrichtet, nach der dieses Bataillon um 14.30 Uhr die Gegend 215,6 erreicht habe. Der Batl.-Führer sei angewiesen worden, bis Studenok aufzuklären und, falls es die Feindlage gestatte, diese Ortschaft in Besitz zu nehmen. Der Ia regt an, mit dem III./228 rechts auszuholen und Krassnyj Jar von Südosten her zu gewinnen. Er teilt dem Rgt.-Führer ferner mit, daß in Studenok große Ansammlungen russischer Fahrzeuge festgestellt wurden, und daß diese voraussichtlich um 16.00 Uhr von Fliegern angegriffen würden. Das Regiment soll diesen Stukaangriff zum Vorgehen ausnutzen.

Nach 16.00 Uhr sind die Fernsprechverbindungen zu beiden Jägerregimentern gestört. Bis zum Abend geht bei der Division nur eine einzige Funkmeldung des Rgt. 229 ein, in der ein weiterer Stukaangriff auf Studenok erbeten wird. Eine Anfrage des Korps, ob ein erneuter Luftangriff gegen 18.15 Uhr stattfinden könne, wird dementsprechend bejaht.

Da kaum Meldungen einlaufen, bleibt die Divisionsführung über die Entwicklung der Lage bei den zwei Jägerregimentern stundenlang im ungewissen. Deshalb sollen die Einzelheiten der Kämpfe des Abends wiederum im Rahmen der beiden Rgt.-Gruppen betrachtet werden. Deren Aufträge lauten bekanntlich, die Ortschaften Studenok bzw. Ssenitscheno zu nehmen und anschließend am Donez zur Verteidigung überzugehen.

e) Vorstoß des Jägerregiments 229 bis zum Donez

Nach eingehender Erkundung des Angriffsgeländes und der Bereitstellungsmöglichkeiten gelangt der Führer des Jäg. Rgt. 229 zu dem Entschluß, mit zwei Bataillonen in vorderer Linie anzugreifen und dem rechten Bataillon, das über den

Punkt 190,9 auf die Mitte von Ssenitscheno vorgehen soll, den Schwerpunkt zu geben.

Während sich die Führer der drei Bataillone, der beiden Rgt.-Einheiten, der III./Art.Rgt. 85 und der gerade eingetroffenen Flakkampftrupps auf dem Rgt.-Gefechtsstand zur Befehlsausgabe versammeln, findet der erste Stukaangriff auf Studenok statt. In nordöstlicher Richtung steigt eine dunkle Staubwolke himmelwärts. Die Feuerstellungen der III./Art.Rgt. 85 und der dieser unterstellten 8./Art.Rgt. 85 befinden sich im Raume nördlich von Golaja Dolina. Die 3./Pi.Batl. 101 hat sich noch nicht eingefunden; vermutlich wird die Kompanie noch immer in Golaja Dolina festgehalten.

Um 16.00 Uhr erteilt der Oberstleutnant mündlich und mit dem Blick ins Gelände den „Befehl für die Bereitstellung und den Angriff gegen Ssenitscheno". Dieser hat etwa folgenden Wortlaut:

> „Feindliche Panzer im Waldstück 1000 m halbrechts und in Passeka. Russische Infanterie auf dem Höhenrücken 3000 m vorwärts.
>
> Rgt.-Gruppe 229 stellt sich beiderseits Punkt 215,6 zum Angriff gegen Ssenitscheno bereit. Die Zeit des Antretens wird noch befohlen. Nach der Besitznahme der Ortschaft mit der dort befindlichen Furt und nach der Zerschlagung der gegenüberstehenden Feindkräfte geht das Regiment am Donez zwischen Bol. Jeremowka und der Bachmündung bei Schewtschenko zur Verteidigung über. Rgt.-Adjutant zeichnet die Abschnittsgrenzen in die Karten der Batl.-Führer ein."

Während der Befehlserteilung kommt von Westen das I./228 heran, das beim Durchschreiten des Waldes nach links abgekommen war und jetzt gegen Studenok vorgehen will. Gleichzeitig kehrt der gegen Punkt 218,1 angesetzte Spähtrupp des III./229 zurück. Er meldet, daß er an der Waldecke bei dieser Höhe vier feindliche Panzer mit aufgesessener In-

fanterie und sechs weitere Panzer, die von Südwesten herankamen, beobachtet habe. Die Verbindung zum linken Nachbarn konnte nicht gefunden werden. Dann fährt der Rgt.-
Führer mit seinem Befehl fort:

„I. Batl. stellt sich im Wald beiderseits Punkt 215,6 – Aus-
dehnung 500 m – zum Angriff über die Höhe 190,9 gegen
Ssenitscheno-Mitte bereit; es nimmt diese Ortschaft.

III. Batl. stellt sich links daneben bereit. Trennungslinie beim
Angriff zwischen I. und III. Batl.: Einspringende Waldecke,
500 m südlich 215,6 – Punkt 190,9 (zu I.). Bataillon stößt über
Passeka und Tichozkij bis zum Westrand von Ssenitscheno vor.

II. Batl. folgt rechts rückwärts des I.; es läßt „Bienenstand"
rechts liegen, nimmt die Höhe 199,7 und sichert dort die rechte
Flanke des Regiments. Vorstoß bis zum Donez westlich Bol.
Jeremowka erst morgen früh nach Tagesanbruch.

16. (Pz.Jäg.) Kp. (ohne 3 le. Züge), der die beiden Flak-
Kampftrupps und zur Nahsicherung der Radfahrzug unterstellt
werden, schirmt das Regiment am Waldrand südlich „Bienenstand" gegen die dort stehenden russischen Panzer ab. Kompanie unterstellt jedem Bataillon einen 3,7 cm-Packzug und
folgt später bis Tichozkij.

III./Art.Rgt. 85 und schwerer Infanteriegeschützzug unterstützen den Angriff des I. Batl. gegen den Höhenrücken 199,7–
190,9. Infanteriegeschützzug bereitet für später Stellungswechsel in die Gegend ostwärts Tichozkij vor.

1./Sturmgesch.Abt. 245, deren Eintreffen abgewartet wird,
unterstützt zunächst den Angriff der beiden vorderen Bataillone.
Nach Ausschaltung der in Passeka festgestellten Feindpanzer
ist I. Batl. zu unterstützen.

Führungsstaffel des Regiments folgt zwischen I. und III. Batl.
bis Tichozkij-Ost, wo Rgt.-Gefechtsstand eingerichtet wird. Nachrichtenverbindungen durch Funk wie bisher. Nach Erreichen
der Angriffsziele ist Draht zu allen drei Bataillonen zu strecken."

Betrachtungen zum Regimentsbefehl:

Das I. Batl., dem der Schwerpunkt gegeben wurde, wird von sämtlichen verfügbaren schweren Waffen unterstützt. Rechts rückwärts folgt ihm die Reserve, das II. Batl.

Das III. Batl. muß sich im wesentlichen allein in dem ihm zugewiesenen deckungsreichen Gelände vorwärtskämpfen.

Das II. Batl. soll, da es dunkel sein wird, bis es die Höhe 199,7 in Besitz genommen hat, nicht mehr in den vermutlich sehr dichten Uferwald eindringen. Da zudem die Lage beim rechten Nachbarn ungeklärt erscheint, kann das Regiment auf eine sofort greifbare, kampfstarke Reserve und eine Sicherung seiner rechten Flanke nicht verzichten. Die Sicherung der linken Flanke fällt dem III. Batl. zu; da aber links von diesem Panzer- und Infanterieverbände vorstoßen, dürfte von dort weniger Gefahr drohen.

Während die Batl.- und Einheitsführer persönlich die erforderlichen Erkundungen durchführen, setzen sich ihre Verbände entsprechend den ihnen erteilten Befehlen in ihre Bereitstellungsräume in Bewegung. Das III. Batl. verschiebt sich innerhalb des Waldes nach links und stellt sich zwischen der einspringenden Waldecke und der Försterei (F) zum Angriff bereit. Das I. Batl. rückt in seinen Raum beiderseits des seitherigen Vormarschweges vor, und das II. Batl. schließt hinter dem I. auf. Die 16. Kp. und die beiden Flakkampftrupps beziehen ihre Feuerstellungen am Waldrand südlich „Bienenstand". Die III./Art.Rgt. 85 und der schwere Infanteriegeschützzug schießen sich unauffällig auf den Höhenrücken 199,7 – 190,9 ein.

Gegen 16.45 Uhr kommt die 1./Sturmgesch.Abt. 245 mit fünf Geschützen heran. Der Kp.-Chef wird in das Gelände und in die Lage eingewiesen und erhält seinen Befehl.

Um 17.15 Uhr liegen auf dem Rgt.-Gefechtsstand sämtliche Meldungen über die Beendigung der Bereitstellung vor, wor-

auf durch Funk und Melder der Befehl ergeht: „Angriffsbeginn 17.30 Uhr!"

Genau 17.30 Uhr eröffnen die 5 cm-Pack und die 8,8 cm-
Kanonen am rechten Flügel der Bereitstellung überfallartig
das Feuer auf die Waldecke bei „Bienenstand". Über die
Köpfe der Soldaten des Regiments rauschen die Granaten
der III./Art.Rgt. 85 und des schweren Infanteriegeschützzuges und schlagen auf dem Höhenrücken 199,7 – 190,9 ein.
Gleichzeitig treten die beiden vorderen Bataillone in ge-
öffneter Ordnung aus dem Walde heraus und gewinnen zügig
Raum in nordwestlicher Richtung. Die Sturmgeschütze fahren
ein Stück vor den Waldrand, wo sie Schußfeld haben, und
überwachen von dort den Angriff. Der Russe macht sich nur
durch einzelne Schüsse aus Kanonen und Maschinengewehren
bemerkbar. Der Baumbeobachter des Regimentsstabes meldet: „Neun Panzer und vier motorisierte Geschütze verlassen
17.35 Uhr Wäldchen 2 km südwestlich Studenok in Richtung
Studenok." Diese Meldung wird mit dem Zusatz: „Stuka an-
fordern" sofort durch Funk an die Division weitergegeben.

Der Rgt.-Führer folgt gegen 18.00 Uhr mit seinem Kübelwagen und in Begleitung seiner Kradmelder hinter dem
I. Batl. Da rollt plötzlich aus westlicher Richtung ein T 34
heran und feuert wild in die entwickelt vorgehenden hinte-
ren Teile dieses Bataillons. Diese geraten in Verwirrung;
Ausfälle treten ein. Da sich die Sturmgeschütze etwas zu weit
zurückgehalten hatten, waren sie nicht in der Lage, den Panzer rechtzeitig abzufangen. Doch wird er kurze Zeit später
– zusammen mit einem ebenfalls aufgetauchten Kw. 44 –
durch einen der beiden Flakkampftrupps abgeschossen. Zwei
weithin sichtbare Rauchsäulen bezeichnen die Stellen, an
denen die beiden Feindpanzer ihr Ende fanden.

Den darauf folgenden Teil des Angriffes des I. Batl. schildert dessen Führer: „Bis ich das Bataillon neu gegliedert hatte, war die Dunkelheit hereingebrochen. Trotzdem setzten wir, mit den Kompanien hintereinander, den Angriff fort, überschritten unbemerkt vom Gegner die dem Donez vorgelagerte Höhe westlich Punkt 199,7 und erreichten gegen 24.00 Uhr den Donez bei Ssenitscheno-Mitte."

Als das II. Batl. den Bereitstellungswald verläßt, ist es bereits dunkel geworden. Das Bataillon strebt nach festgelegter Kompaßzahl geradenwegs der Höhe 199,7 zu, die zwischen 21.00 und 22.00 Uhr erreicht und besetzt wird.

Die Führungsstaffel des Regiments erreicht um 19.30 Uhr, also kurz nach Einbruch der Nacht, den Südosteingang von Tichozkij. In einem der ersten Häuser, einer kleinen, strohgedeckten Bauernkate, wird der Rgt.-Gefechtsstand eingerichtet. Da sich nach der Aussage von Gefangenen vor dem Südostrand von Tichozkij eine Minensperre befinden sollte, hatten die Männer des Stabes kurz vor dem Dorfe ihre Fahrzeuge verlassen und das letzte Stück zu Fuß zurückgelegt.

Kurz vor Mitternacht meldet der Rgt.-Führer fernmündlich der Division, daß das Jäg.Rgt. 229 sein Tagesziel erreicht und Ssenitscheno genommen hat.

f) Durchbruchsversuche des Jägerregiments 228

Entsprechend der Anregung des Generalstabsoffiziers der Division setzt der Führer des Jäg.Rgt. 228 sein III. Batl. um 18.00 Uhr auf einer ostwärts der Försterei in Richtung Krassnyj Jar führenden Schneise zum Angriff an. Weshalb dies erst so spät und nicht schon zu einer früheren Stunde geschah, geht aus dem Kriegstagebuch des Regiments nicht hervor; auch die später befragten Offiziere können sich an die Gründe nicht mehr erinnern.

Etwa zur gleichen Zeit wird von der Försterei aus der zweite Luftangriff auf Studenok beobachtet. Wiederum steigt am Horizont eine riesige Rauchwolke hoch. Der Rgt.-Führer hofft, daß sein I. Batl., von dem um 17.30 Uhr die Funkmeldung einging: „Angriff auf Studenok nicht möglich", den ihm ebenfalls auf dem Funkwege übermittelten Befehl, den nächsten Stukaangriff auszunutzen, befolgen wird. Doch ergibt sich aus einer späteren Meldung dieses Bataillons, daß alle Versuche, in Richtung Studenok Boden zu gewinnen, fehlschlugen.

Das III. Batl. stößt bald, nachdem es angetreten war, erneut auf eine von russischen Panzern gebildete Sperre. „Nunmehr wird der Einsatz der Panzerbüchse 41 und eines weiteren Panzer-Nahbekämpfungstrupps befohlen. Die hierzu notwendigen Erkundungen leitet der Rgt.-Führer persönlich." So berichtet das Kriegstagebuch. Aber auch der Einsatz dieser Mittel versagt; ein frontaler Durchbruch erweist sich erneut als unmöglich. Das Bataillon wird daraufhin bis zur Försterei zurückgenommen.

Um 21.00 Uhr orientiert der Rgt.-Führer seinen Div.-Kommandeur fernmündlich über die Lage und insbesondere darüber, daß es wiederum nicht möglich war, in Richtung Krassnyj Jar Boden zu gewinnen. Er schlägt vor, den Stoß auf Studenok „vom Wäldchen südlich Passeka entlang des Donez anzusetzen", wobei in diesem Falle natürlich das am Donez gelegene Dorf Passeka zu verstehen ist.

g) Lage am Abend des zweiten Angriffstages

Beim Divisionskommando, wo man über den gut fortschreitenden Angriff des Jäg.Rgt. 229 Bescheid weiß, ist man über das Mißgeschick des Jäg.Rgt. 228 in hohem Maße beunruhigt. Denn die alsbaldige Wegnahme von Studenok ist von erheblicher Bedeutung, weil eine Verzögerung schwerwiegende Nachteile für die weiteren Operationen der Armee zur Folge haben muß.

Dem Jäg.Rgt. 228 wird deshalb nach Beseitigung einer Störung um 23.00 Uhr fernmündlich befohlen: „Regiment hat noch in der Nacht überraschend mit starken Teilen in Studenok einzubrechen und das Abfließen des Gegners nach Osten zu verhindern."

Die Artillerie hatte im Laufe des Tages mit allen Abteilungen – teilweise mehrmals – Stellungswechsel gemacht. Über ihre Aufstellung bei Einbruch der Dunkelheit gibt eine dem Kriegstagebuch beigefügte Meldung des Art.Rgt. 85 mit angehefteter Pause Aufschluß. Zusammen mit den Meldungen der übrigen Verbände ergibt sich am Ende des zweiten Angriffstages für die Division die auf Skizze 10 zur Darstellung gebrachte Lage.

Kartenskizze 10
Lage am 18. 5. 1942, 24.00 Uhr

VI.

Die Kämpfe zur Gewinnung der Donezlinie am 19. Mai 1942

a) Vorstoß des Jägerregiments 228 bis zum Donez

Nach Eingang des Befehls der Division, daß das Jäg.Rgt. 228 noch in der Nacht in Studenok einzubrechen habe, findet um Mitternacht auf dem Rgt.-Gefechtsstand in der Försterei, 1500 m nördlich der Höhe 200,7, eine Kommandeurbesprechung statt. An dieser Besprechung nehmen teil der Kommandeur des II./228, die Führer des III./228 und der II./Art. Rgt. 85 sowie der Chef der 2./Pi.Batl. 101. Ihr Ergebnis ist ein Regimentsbefehl, nach dem sich das Regiment sofort im Wald südostwärts von Krassnyj Jar zum Angriff in nördlicher Richtung bereitstellen und voraussichtlich um 02.30 Uhr zur Wegnahme von Studenok antreten wird. Das II. Batl., das am Waldrand westlich des Donez Sicherungen zurückzulassen hat, wird in vorderer Linie angreifen; hinter ihm wird das III. Batl. folgen.

An das I. Batl. ergeht um 01.00 Uhr folgender Funkbefehl: „Angriffsbeginn für I. 03.00 Uhr. Wir treten von Süden über Passeka an." Der Division wird mitgeteilt, daß das Regiment voraussichtlich um 02.30 Uhr angreifen wird. Dann begibt sich der Rgt.-Führer zu seinem II. Batl., dessen Gefechtsstand sich in der Nähe der Waldspitze ostwärts von Krassnyj Jar befindet.

Um 03.00 Uhr trifft der Div.-Kommandeur auf dem Rgt.-Gefechtsstand Försterei ein, wohin der Rgt.-Führer gerade wieder zurückgekehrt war. Letzterer meldet, daß der Angriff planmäßig um 02.30 Uhr begonnen habe.

Auf dem Rgt.-Gefechtsstand geht um 04.40 Uhr die Meldung des II. Batl. ein, nach der das Bataillon in einer Tiefe von 500 m in Studenok eingebrochen sei. Es erhalte Feuer von Panzern und starkes flankierendes Maschinengewehrfeuer von Osten. Der Rgt.-Führer begibt sich daraufhin nach vorne, wo „vor Passeka" ein vorgeschobener Rgt.-Gefechtsstand eingerichtet werden soll. Von diesem Gefechtsstand teilt er um 07.20 Uhr der Division mit, „daß 05.35 Uhr das Angriffsziel von beiden Bataillonen erreicht sei. Studenok ist in unserer Hand." Eine halbe Stunde später meldet das I. Batl., daß es 06.45 Uhr mit einer Kompanie Studenok-West erreicht habe. Der Rest des Bataillons befinde sich 1 km westlich davon.

Das Kriegstagebuch bemerkt zu diesem Erfolg: „Das Regiment ist, parallel zur Feindfront vorgehend, ungeachtet der heftigen Flankierung vom Ostufer des Donez (MG., Art., Gr.W.) und Einwirkung feindlicher Panzer, darunter ein Flammenwerferpanzer, von den Höhen westlich des Donez in unaufhaltsamem Schwung in einem Zug bis zum Nordrand von Studenok durchgestoßen. Damit hat es wesentlich zum Gelingen des Angriffs der Division und somit der Gesamtoperationen der 17. Armee beigetragen. Ein unübersehbares Beutefeld ist in unserer Hand."

Um 08.00 Uhr erteilt der Rgt.-Führer den in Studenok versammelten Führern der drei Bataillone, der 16. Kp. und der 2./Pi.Batl. 101 den „Befehl zur Verteidigung des Donez". Dieser hat nach dem Kriegstagebuch folgenden Inhalt:

„Feind ist vom Westufer des Donez vertrieben.

Regiment richtet sich zur Verteidigung in seinem Abschnitt mit Hauptkampflinie am Donez ein.

Hierzu werden eingesetzt: Rechts II./228, Mitte I./228, links III./228, unterstellt je zwei 3,7 cm-Pak.

Abschnittsgrenzen rechts zur 257. Inf.Div. wie bisher, links zum Jäg.Rgt. 229 wie bisher; zwischen II. und I./228: 1 km südostwärts Krassnyj Jar – sich nach Nordosten ziehender Waldrand – Donezschleife westlich 58,5 – B.W., 1 km nordostwärts Mitte Mal. Jeremowka; zwischen I. und III./228: Bienenstand – Südrand Studenok – Bhm., nördlich Mal. Jeremowka.

Mit dem Ausbau der Stellungen (Panzerdeckungslöcher) ist sofort zu beginnen. Ausreichende Kräfte sind, soweit noch nicht geschehen, an den Donez vorzuschieben. I./228 besetzt und baut einen Stützpunkt am Ostrand von Passeka aus. II./228 erreicht nach Einbruch der Dunkelheit seinen Abschnitt. Führer 16. Kp. verhindert bei Passeka und Studenok in Gegend Försterei mit dem 5 cm-Pakzug ein erneutes Übersetzen feindlicher Panzer und überwacht den Einsatz der übrigen Pz.Abw.Waffen bei den Bataillonen.

II./Art.Rgt. 85, auf Zusammenarbeit angewiesen, hat Auftrag, den gesamten Abschnitt zu überwachen, besonders Feuerzusammenfassungen vorzubereiten auf Knüppeldamm ostwärts Passeka und bei Studenok, Wegegabel Mitte Jeremowka, 1 km ostwärts Studenok.

2./Pi.Batl. 101 wie bisher. Stellungs- und Feindbildskizzen sind baldmöglichst vorzulegen.

Rgt.-Gefechtsstand: Försterei. Nachrichtenverbindungen wie bisher."

Um 11.00 Uhr spricht der Kommandierende General in Studenok dem Rgt.-Führer seinen Dank und seine Anerkennung für den Erfolg des Regiments aus.

Im Laufe des 19. Mai und der folgenden Nacht erreichen die Bataillone ihre Abschnitte und beginnen sich zur Verteidigung einzurichten. Während des ganzen Tages liegt starkes Störungsfeuer feindlicher Granatwerfer, feindlicher Artillerie und von mindestens zwei Salvengeschützen auf dem ganzen Abschnitt. Russische Tieffliegerangriffe richten sich mit Bomben und Bordwaffen gegen die rückwärtigen Stellungen und Verbindungen des Regiments.

Aber während in der „Zwischen-" und der „Tagesmeldung" an die Division stets nur von dem erfolgreichen Angriff und der planmäßig verlaufenden Einrichtung zur Verteidigung gesprochen wird, treffen auf dem Gefechtsstand Försterei bereits Meldungen ein, die erkennen lassen, daß der Rgt.-Abschnitt noch keineswegs freigekämpft ist. „Kämpfende Feindpanzer" im Abschnitt des I. Batl., das beiderseits Passeka sitzt, und im Walde südlich von Krassnyj Jar gestalten die Lage in steigendem Maße undurchsichtig.

b) Angriffsende beim Jägerregiment 229

Bei Eintritt der Morgendämmerung des 19. Mai begibt sich der Rgt.-Führer 229 zu Fuß und nur von wenigen Meldern mit Maschinenpistolen begleitet, zu seinem II. Batl. auf der Höhe 199,7. Vorher hatte er den 5 cm-Pakzug seiner 16. Kp. auf der Straße, die durch Tichozkij und über die vermutlich noch verminte Brücke im Nordteil von Ssuchaja Kamenka führt, ebenfalls dorthin in Marsch gesetzt.

Ostwärts der Ortschaft Tichozkij steigt das Gelände fast 100 m steil zu dem Höhenrücken hoch. Der Weg führt an einer mit Gebüschen bewachsenen und stark ausgewaschenen Balka entlang. Der herrliche Morgen läßt wiederum einen heißen Sommertag erwarten. Die Luft ist vom Duft blühender Sträucher und Bäume und vom Jubilieren der Vögel erfüllt. Bei den am Vortag beobachteten Erdarbeiten handelt es sich um Grabenstücke und Unterstände, die der Gegner im Stich lassen mußte, bevor er sie fertigstellen konnte.

Von der Höhe 199,7 kann der Oberstleutnant sein II. Batl. sehen, das in entwickelter Ordnung über das allmählich nach

Nordosten abfallende deckungslose Gelände vorgeht und dem Uferwald zustrebt. Plötzlich tauchen halbrechts einige russische T 34 auf und rollen den vorgehenden Soldaten in schneller Fahrt entgegen. Über panzerbrechende Waffen, die gegen dieses Panzermuster Wirkung hätten, verfügt das Bataillon nicht, und der 5 cm-Pakzug der 16. Kp. ist noch nicht herangekommen. Man kann erkennen, wie die Männer des Bataillons im Marsch, Marsch vorwärtsstürzen, um den Wald zu gewinnen, denn dieser bildet weit und breit die einzige Deckung, die gegen die Panzer Schutz bieten könnte. Doch bevor das Bataillon verschwinden kann, kurven die T 34 zwischen den Kompanien herum. Aber zum Erstaunen aller geben sie keinen einzigen Schuß ab. Besitzen sie infolge der vorangegangenen Stukaangriffe keine Munition mehr und wollen sie deshalb das Bataillon auf diese Weise aufhalten? Es gelingt ihnen jedoch nicht, Soldaten zu überwalzen, weil jeder rechtzeitig vor den wild umherkreuzenden Fahrzeugen zur Seite springen kann. „Das war wohl eines der merkwürdigsten Erlebnisse, die ich gehabt habe, zumal zu befürchten stand, daß der Waldrand besetzt war, auf den das Bataillon zueilte", stellt später der Führer dieses Bataillons fest. „Glücklicherweise war das nicht der Fall. Als das Bataillon den deckenden Wald erreicht hatte, zogen sich die Panzer wiederum zurück."

Ein weiterer Grund, weshalb die Panzer kehrt machten, und in ostwärtiger Richtung davonfuhren, dürfte auch darin zu suchen sein, daß die zwei 5 cm-Pak inzwischen auf der Höhe 199,7 eingetroffen waren und zu feuern begannen.

Am Waldrand findet der Oberstleutnant den Batl.-Führer damit beschäftigt, seinen auseinandergeratenen Verband zusammenzusuchen. Einen Aufenthalt von zwei Stunden hatten die russischen Panzer doch erzwungen. Denn so lange dauerte es, bis die Kompanien wieder geordnet waren und zum Durchkämmen des dichten Uferwaldes, der steil zum Fluß abfällt, und zum Besetzen der ihnen zugewiesenen Verteidigungsabschnitte antreten konnten.

Da der Anschluß zum rechten Nachbarregiment 228 noch nicht hergestellt werden konnte und gelegentlicher Gefechtslärm aus südöstlicher Richtung vermuten läßt, daß dort, wo der Gegner einen Flußübergang besitzt, noch gekämpft wird, muß an eine ausreichende Sicherung der rechten Flanke des Rgt. 229 gedacht werden. Der Oberstleutnant befiehlt deshalb, daß das II. Batl. diese Sicherung zu übernehmen und die beherrschende Höhe 199,7 mit einer durch schwere Maschinengewehre und Granatwerfer verstärkten Jägerkompanie zu besetzen und notfalls zu verteidigen habe.

Nachdem der Rgt.-Führer diese Anordnung getroffen hat, begibt er sich zu seinem I. Batl. in Ssenitscheno. Der Batl.-Gefechtsstand befindet sich in einem Hause am Südrand von Ssenitscheno-Mitte. Unweit ostwärts davon trennt eine tiefeingeschnittene, von der Höhe zum Donez hinabführende Balka die Siedlung in eine westliche und eine östliche Ortshälfte.

Der Batl.-Führer meldet die Lage seines Verbandes und schildert den Verlauf der Nacht und des Vormittags. Der nachstehende Auszug aus dem Erlebnisbericht des Batl.-Führers soll diese Ereignisse veranschaulichen:

„Ssenitscheno-West, das wir bis Mitternacht durchstoßen hatten, war feindfrei, während Ssenitscheno-Ost vom Gegner besetzt war. Dieser arbeitete fieberhaft an einer Übersetzstelle, was aus den herüberdringenden Geräuschen einwandfrei zu entnehmen war.

Bei dieser Lage und wegen der dunklen Nacht entschloß ich mich, das erste Tageslicht hinter der Balka abzuwarten, um zuerst einen gewissen Überblick über die Gesamtlage des Bataillons zu gewinnen. Während der Nacht lagen die 2. und die 3. Kp.

im Ort und mit der Front nach Osten hinter der Balka, die 2. Kp. mit ihrem linken Flügel am Donez. Die 1. Kp. hatte ich, den Ort überhöhend, am halben Hang und ebenfalls hinter der Balka eingesetzt. Alle drei Kompanien sicherten sich mit schwachen Teilen auch nach Westen, solange zum III. Batl. noch keine Verbindung bestand. Diese wurde nach Morgengrauen hergestellt.

Zunächst hatten wir alle Bewegungen unbemerkt vom Feinde ausführen können. Auch die rote Signalkugel, mit der wir das Erreichen des Angriffszieles melden sollten, machte ihn nicht stutzig; anscheinend hielt er sie für eine eigene. Er rechnete offensichtlich in keiner Weise mit der Möglichkeit unseres nächtlichen Vorstoßes.

Erst als die Dunkelheit der ersten Dämmerung am östlichen Himmel zu weichen begann, kam es zu einer Panne. Zwei Russen mit Kochgeschirren stiegen die Balka aufwärts, um vermutlich Verpflegung zu einer Stellung auf der Höhe zu bringen. Anstatt diese beiden Gegner lautlos in Empfang zu nehmen, wurden sie von der linken Flügelgruppe der 1. Kp. angeschossen.

Anscheinend hatte ich den Nerven, vor allem der zahlreichen jungen Soldaten des Bataillons, etwas zu viel zugemutet. Nach den beiden Kampftagen, die allein schon an die körperliche Leistungsfähigkeit der Jäger die höchsten Anforderungen gestellt hatten, entlud sich nun die Spannung der Nacht in einem Feuerzauber ohnegleichen. Allenfalls wäre dieser bei der 1. Kp. berechtigt gewesen, der, was sich zeigte, als es heller wurde, eine feindliche Maschinengewehrstellung gegenüberlag, aus der versucht wurde, das Feuer zu erwidern.

An allen übrigen Stellen, auch bei dem vorbereiteten Donezübergang und im Ort, der sich als dicht belegt erwies, ließ der Gegner alles stehen und liegen und suchte sein Heil in der Flucht. Doch das I. Batl. schoß, als käme es darauf an, in kürzester Frist die letzten Patronen aus den Läufen zu jagen. Ich konnte mich nur mit größter Mühe gegen dieses Elementarereignis durchsetzen und war froh, daß alle Kompanien sauber an der Balka aufgereiht lagen und so nicht in Versuchung kamen, sich auch noch gegenseitig zu beschießen.

Endlich bekam ich das Bataillon wieder in die Hand und konnte es zur Verfolgung des Russen ansetzen, der uns infolge der Schießerei mit Masse leider durch die Lappen gegangen war.

Am Abend vorher hatte das Bataillon den Auftrag erhalten, bis zum Donez durchzustoßen und sich dort zur Verteidigung einzurichten. Die für Angriff und Verteidigung gegebene Grenze zum II. Batl. verlief am Donezknie ostwärts von Ssenitscheno, die Grenze zum III. Batl. durch die Balka in der Ortsmitte. Dementsprechend ließ ich die 3. Kp. auf das Donezknie, die 2. Kp. durch Ssenitscheno-Nord auf die Nordostecke des Dorfes und die 1. Kp. ebenfalls auf das Donezknie vorgehen. Die 2. und die 3. Kp. hatten nach Säuberung ihrer Abschnitte linksum zu machen und sich zur Verteidigung einzurichten, Hauptkampflinie am Waldrand und am Nordrand von Ssenitscheno. Die Donezschleife selbst sollte auch gesäubert und gesichert werden.

Von der 1. Kp. setzte ich zunächst nur eine schwache Aufklärung in östlicher Richtung an, um Verbindung mit dem II. Batl. zu bekommen. Diese stieß jedoch auf Feind, der sich kampflos ergab; vom II. Batl. war noch nichts zu bemerken. Um ein Entkommen des Gegners zu verhindern und die uns in Ssenitscheno entgangenen Gefangenen doch noch einzubringen, gab ich nunmehr die Zügel frei und ließ die Kompanie den Donez entlangstoßen. Obwohl ich grundsätzlich „raids" in Nachbarabschnitte, besonders in unübersichtlichem Gelände, nicht für zweckmäßig halte, glaubte ich in diesem Falle anders handeln zu sollen.

Nachdem schon im Wald südostwärts des Donezknies zahlreiche Lastkraftwagen, die fahrbereit mit eingesteckten Zündschlüsseln dastanden, und zahllose pferdebespannte Fahrzeuge erbeutet worden waren, stieß die 1. Kp. etwa 500 m westlich von Bol. Jeremowka auf eine Ansammlung russischer Panzer. Die Besatzungen, die ausgestiegen daneben standen, suchten bei dem überraschenden Auftauchen der Jäger das Weite, ohne einen nennenswerten Widerstand zu leisten.

Als die Verbindung mit dem II. Batl. zustande gekommen war, kehrte die 1. Kp. mit den eingesammelten Gefangenen, Pferden und Fahrzeugen in den Abschnitt ihres Bataillons zurück. Sie wurde als Reserve in den Wald ostwärts von Ssenitscheno gelegt."

Um die Mittagszeit weilt der Rgt.-Führer beim Gefechtsstand seines III. Batl., der sich in einem Haus am Südwestrand von Ssenitscheno befindet. Das Bataillon hat seinen Verteidigungsabschnitt mit zwei Jägerkompanien in vorderer Linie besetzt. Hauptkampflinie ist das südliche Donezufer. Die dritte Jägerkompanie ist Batl.-Reserve und liegt vorläufig im Südostzipfel des Waldes westlich von Ssenitscheno. Verbindung zur linken Nachbardivision ist in Schewtschenko vorhanden.

Im Laufe des Nachmittages wird auf dem Rgt.-Gefechtsstand in Tichozkij bekannt, daß es sich bei den am rechten Flügel des Regiments erbeuteten Panzern um 13 einsatzbereite T 34 handelt. Außerdem ließ der Russe gefüllte Betriebsstoffahrzeuge und mit Munition beladene Lastkraftwagen zurück. Der Rgt.-Führer veranlaßt, daß einige T 34 sowie Munitions- und Tankwagen in der kommenden Nacht abgefahren und nach Tichozkij gebracht werden. Sie sollen in das Regiment eingegliedert werden.

c) Gefechtsverlauf vom Divisionsgefechtsstand gesehen

Auf dem Div.-Gefechtsstand in Golaja Dolina-Ost war um 07.20 Uhr durch die Meldung des Jäg.Rgt. 228 bekannt geworden, daß „Studenok fest in unserer Hand" und „große Beute an bespannten und motorisierten Fahrzeugen sowie an Panzern und Geschützen" gemacht worden sei.

Um 08.50 Uhr bliesen feindliche Flugzeuge südostwärts von Golaja Dolina eine Flüssigkeit ab, die beim Abbrennen einen starken weißen Rauch entwickelte.

Etwa zur gleichen Zeit war vom LII. A.K. folgendes Fernschreiben eingegangen:

„1. Die Divisionen säubern planmäßig das diesseitige Ufer des Donez von restlichen Feindteilen.

2. Die Überwachung des Flußlaufes in der Gesamtausdehnung der Verteidigungsfront muß noch heute so lückenlos sichergestellt werden, daß jeder Versuch auch kleinster Einheiten des Gegners, über den Donez zu kommen, sofort erkannt und vereitelt wird."

Auf Grund dieses Korpsbefehls wurde kurz nach 09.00 Uhr die Radf.Abt. 101 angewiesen, das rückwärtige Gelände und insbesondere die Wälder nach versprengten Russen abzusuchen. Nach Beendigung der Aktion sollte die Abteilung erneut Unterkunft in Golaja Dolina beziehen. Das Pi.Batl. 101 wurde mit Verminungen sowie mit Hindernis- und Wegebauarbeiten beauftragt. Das Art.Rgt. 85 erhielt den Befehl zur Umgliederung für die Verteidigung.

Um 14.00 Uhr besuchte der Oberbefehlshaber der 17. Armee den Div.-Gefechtsstand und orientierte sich über die Lage bei der Division und über deren Einsatz. Für die Leistungen der Division sprach er deren Kommandeur seine Anerkennung aus.

Da starke feindliche Panzerkräfte im Anmarsch von Norden auf Isjum gemeldet wurden, erkundete der Ia der Division zusammen mit den Kommandeuren des Pionierbataillons und der Panzerjägerabteilung am Nachmittag eine Panzersperrstellung im Raume westlich von Ssuchaja Kamenka.

Um 16.00 Uhr meldete sich der Führer der Flakartillerie im Korpsbereich zur Verbindungsaufnahme. Eine schwere und zwei leichte Flakbatterien bleiben auf Zusammenarbeit mit der Division angewiesen. Der Luftschutz längs der großen Straße Sslawjansk, Isjum soll durch weitere Flakverbände übernommen werden.

Vom rechten Regiment wurde tagsüber lebhaftes Infanterie- und Artilleriefeuer gemeldet, während im Abschnitt des linken Regiments stellenweise überhaupt keine Feind-

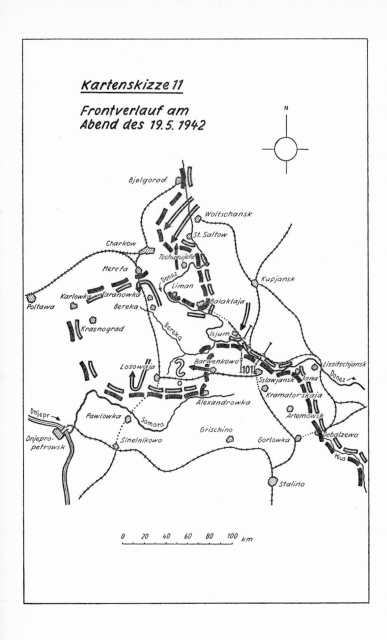

Kartenskizze 11

Frontverlauf am Abend des 19.5.1942

N

Bjelgorod

Woltschansk

St. Saltow

Charkow

Tschueujefe

Merefa

Donez

Liman

Kupjansk

Poltawa

Karlowka

Jaranowka

Bereka

Balaklaja

Krasnograd

Bereka

Isjum

Losowaja

Bariwenkowo

Lissitschjansk

101

Donez

Sslawjansk

Jama

Alexandrowka

Kramatorskaja

Dnjepr

Pawlowka

Samara

Artemowsk

Dnjepro-
petrowsk

Sinelnikowo

Grischino

Gorlowka

Debalzewo

Mius

Stalino

```
0   20   40   60   80   100   km
```

berührung mehr bestand. Den Raum Studenok belegte der Gegner wiederholt mit Feuerüberfällen aus Salvengeschützen. Verbindung mit den Nachbardivisionen ist auch an den Nähten der vorderen Linie vorhanden.

Während des ganzen Tages griffen russische Flieger in rollenden Einsätzen die vordere Linie sowie die Ortschaften und die Nachschubwege rückwärts mit Bomben und Bordwaffen an.

Am späten Abend wird der „Divisionsbefehl für die Verteidigung am Donez" zu Papier gebracht (Anhang). Er gelangt nach Mitternacht zur Ausgabe.

Nach diesem Befehl verteidigt die Division das Westufer des Donez, der nach Ziffer 5. a) Hauptkampflinie ist. Besonderer Wert wird auf die „ständige und lückenlose Überwachung des Flußlaufes" gelegt, damit jeder Versuch des Gegners, über den Fluß zu kommen, sofort erkannt und zerschlagen werden kann. Alle Stellen, die einen Uferwechsel begünstigen, sind besonders stark zu sichern. Ein Bataillon des Jäg.Rgt. 229 ist aus der Stellung herauszuziehen und im Raum von Tichozkij zur Verfügung der Division bereit zu halten. Dieses Bataillon hat Einsatzmöglichkeiten in Richtung Studenok und Ssenitscheno sowie – im Hinblick auf die von Isjum drohende Gefahr – in Richtung Schewtschenko und westlich davon zu erkunden.

Die größere Lage am Abend des 19. Mai 1942 zeigt die Skizze 11. An diesem Abend meldet die 101. le. Inf.Div. dem LII. A.K.:

> „101. le. Inf.Div. steht nach Kampf gegen schwache Versprengtenteile seit frühen Morgenstunden des 19. Mai im gesamten Div.-Abschnitt am Donez und richtet sich, unter Säuberung des rückwärtigen Gebietes von versprengten Feindteilen, zur Verteidigung ein."

VII.

Die Säuberung des westlichen Donezufers

Am Morgen des 20. Mai gelangt man auf dem Div.-Gefechtsstand in Golaja Dolina-Ost zu der Erkenntnis, daß die Kämpfe um den Besitz des westlichen Donezufers beim rechten Jägerregiment noch keineswegs abgeschlossen sind.

Gegen 03.00 Uhr früh teilt das Rgt. 228 mit, daß nach einer Meldung seines zwischen der Flußschleife westlich Punkt 58,5 und dem Südrand von Studenok eingesetzten I. Batl. drei Feindpanzer über den Donez herübergekommen seien. Da trotz wiederholter Rückfragen, an welcher Stelle die Panzer den Uferwechsel vollzogen hätten, keine befriedigende Antwort gegeben werden konnte, vermutet das Regiment, daß diese Panzer in dem unübersichtlichen Fahrzeugtrümmerfeld steckengeblieben sind, das der Gegner bei Passeka und in der viereckigen Donezschleife südostwärts dieses Dorfes zurückließ.

Um 05.00 Uhr erfährt der Generalstabsoffizier der Division vom Führer des Rgt. 228, daß der Russe unter Ausnutzung des Frühnebels in Stärke eines Bataillons und mit starker Artillerie- und Salvengeschützunterstützung ostwärts Passeka über den Donez angreife. Auch auf dem Westausgang von Studenok liege Feuer feindlicher Artillerie und Salvengeschütze.

Kurz nach 08.00 Uhr wird über das Art.Rgt. 85 die Meldung eines vorgeschobenen Beobachters der II. Abteilung bekannt, nach welcher „der Russe bei dem Waldstückchen südlich Passeka mit Panzerunterstützung angreife. Stärke: Ein Regiment".

Um 08.30 Uhr erhält der Ia vom Rgt.-Führer 228 folgende Orientierung: „Seit 07.30 Uhr stellt sich der Russe in der Donezschleife, 1 km südostwärts von Passeka, zum Angriff bereit. Stärkeangaben schwanken zwischen einem Bataillon und einem Regiment. Im Wäldchen südlich Passeka sollen sich ebenfalls Russen, vermutlich Versprengte, dabei ein Panzer, befinden. Die Reservekompanie des I. Batl. ist zum Gegenstoß angesetzt." Eine Rückfrage beim Regimentsführer ergibt, daß sich die 3. Kp., die bei Passeka eingesetzt war, vom Feind gelöst habe und auf die Stellung des sich südlich anschließenden II. Batl. ausgewichen sei. Zur links eingesetzten 2. Kp. des I. Batl. bestehe im Augenblick keine Verbindung.

Die Division wird dem Regiment zur Abwehr des feindlichen Angriffes die vier Sturmgeschütze der 1./Sturmgesch.-Abt. 245 nach Studenok zuführen. Der Kommandierende General des LII. A.K. alarmiert um 09.00 Uhr ein Bataillon des Rgt. 477 der 257. Inf.Div. in der Absicht, dieses Bataillon notwendigenfalls auf die Höhe 200,7 zu verlegen.

Um 11.00 Uhr läßt sich der Ia der Division erneut über die Lage beim Rgt. 228 orientieren: „Der Russe habe versucht, aus der Vierecksschleife bei Punkt 58,5 gegen das Wäldchen südlich Passeka vorzugehen – Stärke mindestens ein Bataillon – und sei bis 09.45 Uhr, besonders durch das gutliegende Artilleriefeuer der II./85 und das infanteristische Abwehrfeuer, in seine Ausgangsstellung zurückgeworfen worden. Das Wäldchen südlich Passeka sei feindfrei. Eine Kompanie sei bereits in Passeka im Vorgehen nach Norden."

Es gelingt dem Jäg.Rgt. 228 jedoch nicht, den Russen alsbald vom westlichen Donezufer zu vertreiben. Im Gegenteil. Der Gegner vermag seinen Brückenkopf sogar noch zu vergrößern, so daß dieser schließlich neben der viereckigen Flußschleife ganz Passeka sowie die Ziegelei und die Försterei nördlich der Ortschaft umfaßt und bis zu dem kleinen sichelförmigen See reicht. Seine Versuche, noch weiter Raum zu gewinnen und insbesondere Studenok von Süden her zu nehmen, können vom Rgt. 228 nur unter den größten Anstrengungen und unter erheblichen Opfern verhindert werden. Nach Gefangenenaussagen führte der Russe zwei Regimenter und elf Panzer seiner 296. Division frisch heran, mit denen er durchbrechen wollte, um die im „Sack" eingeschlossenen eigenen Truppen „herauszuhauen". (Damit dürften die russischen Armeen gemeint sein, denen zu diesem Zeitpunkt bereits die Einschließung an der unteren Bereka drohte.)

Da der Ia der Division am Vormittag des 21. Mai auf dem Gefechtsstand des Jäg.Rgt. 228 den Eindruck gewinnt, „daß das I./228 nicht mehr in der Lage ist, die Bereinigung des Donezufers durchzuführen", befiehlt die Division dem Regimentsführer, das II./228 angreifen und dieses Bataillon anschließend auch den Verteidigungsabschnitt des I. übernehmen zu lassen.

Der Angriff des II./228 beginnt am Abend des 21. Mai nach Einbruch der Dunkelheit. Er dauert zwei Tage. Die letzten Stützpunkte des russischen Brückenkopfes „Passeka" fallen nach schwerem und verlustreichem Ringen erst gegen Abend des 23. Mai. Um von diesen Kämpfen ein Bild zu geben, soll nachstehend aus dem damals unter dem Eindruck jenes verbissenen Ringens niedergeschriebenen Erlebnisbericht des Führers der 8. Kp. zitiert werden. Die 8. Kp. griff als linke Kompanie des II. Batl. nördlich des Weges Krassnyj Jar, Passeka an. Der Wortlaut des Berichtes im Auszug:

„Der Feind ist beim linken Nachbarn eingebrochen. Jede Verbindung zu diesem, unserem I. Batl., ist abgerissen, der Draht zerschossen, Funk ausgefallen. Niemand kann sagen, wie es dort aussieht.

Ohne Eindruck vom Gelände, vom Feind, von der eigenen Lage in Passeka tritt die „Achte" bei dunkler Nacht an. Eine Bergnase schiebt sich weit in das Donezviereck hinein. Am halben Hang, in langen lichten Reihen schleicht die Kompanie. Immer nach Osten, dann müssen wir hinkommen.

Als die vordersten Teile der Kompanie den Vorderhang hinuntersteigen, schlägt bellendes Maschinengewehrfeuer den Berg hoch. Der Feind hat im Schein der Leuchtkugeln der Nachbarn die Kompanie erkannt. Tief an den Boden gepreßt liegen die Männer, können sich nicht mehr vom Fleck rühren. Jetzt auch Flankenfeuer von rechts und links.

Im Feuer steht die Kompanie auf, steigt weiter den Berg hinunter. Das Feuer wird immer heftiger. Verwundete schreien nach dem Sanitäter. Wieder liegt die Kompanie.

‚Einzeln vorarbeiten!' In kurzen Sprüngen stürzen die Männer den Berg hinunter, ins Feuer. Nun schießt es von allen Seiten. Sind es eigene, sind es die Russen?

Nun bubbern auch noch die Granatwerfer, Splitter surren in und um die Kompanie. Noch eine kleine Bodenwelle. Jetzt können wir die brennenden Häuser von Passeka sehen.

Stukatrichter bieten endlich vorzügliche Deckung. Die Kompanie wird zum Angriff geordnet. ‚Zug Schmidt bleibt am Hang als Rückendeckung, muß eben sehen, wie er sich

in den Trichtern versteckt. Die beiden anderen Züge stürmen die Häuser. Kompanietrupp bei Zug Werner!'

Aus der Hüfte feuernd, stürmen die MG-Schützen des
Zuges Werner auf die brennenden Häuser und die im
Feuerschein erkannten Russen. Jetzt sind wir ganz dicht
heran. Geißmeier erkennt am Mündungsfeuer ein russisches MG, wirft zwei Handgranaten und stürmt mit Hurra
drauf. Ein Feindnest ist in unserer Hand.

Der Russe nutzt seine Chance, wirft uns Handgranaten
und geballte Ladungen vor die Nase. Wir müssen in Dek-
kung. Dann stürzt Oberfeldwebel Werner ins Dunkel. Er
hat dort ein Widerstandsnest erkannt und macht es mit
der MPi nieder. Zwei, drei Mann hinter dem Zugführer
her.

Der Kampf hat sich in Einzelkämpfe aufgelöst. Mann
gegen Mann, mit Spaten und Kolben, Handgranaten und
geballten Ladungen. Ein Nest nach dem anderen wird aus-
geräumt. Der Feind hat den Vorteil, er sitzt im Dunkel,
kann uns ankommen lassen. Wir sind immer im hellen
Feuerschein. Wenn sich die Männer zum Einbruch sam-
meln, konzentriert sich das ganze Abwehrfeuer auf sie.

Kameraden fallen, andere werden verwundet, kämpfen weiter, werden erneut verwundet, um dann liegen zu
bleiben. Ein Kampf auf Leben und Tod hat begonnen. Der
Zug Werner ist beinahe aufgerieben. Da erscheint Schmidt
mit seinem Zug. Er will uns helfen. Jetzt oder nie müssen
wir es schaffen. –

Die Nacht ist um. Es wird heller. Da ist auch schon die
russische Artillerie und deckt uns gewaltig ein. Plötzlich
Motorengebrumm. Ganz nah! ‚Panzer!' Drei, vier T 34!
Sie stehen an der Übersetzstelle – drehen ihre Türme, und
feuern. ‚Werden sie zum Gegenangriff ansetzen?'

Es wird Mittag. Immer noch liegen wir in der alten Stellung. Noch immer erwarten wir die T 34; das wäre das Ende der ,Achten'. Unsere Munition ist bis auf acht Wurfgranaten verschossen.

Unsere Verbindung zum Bataillon ist noch immer abgerissen. Es wird Abend. Die Kompanie hat sich verschossen und hat nur noch die blanken Waffen. Sie ist unverpflegt. — Die Verwundeten stöhnen. Angesetzte eigene Sturmgeschütze können uns nicht helfen. Sie werden von den T 34 abgewiesen.

In der Dämmerung taucht plötzlich Hauptfeldwebel Brecht auf. Er hat sich mit Bühler und einem If 8* durch die russische Stellung zu uns geschlichen. Ganz in Schweiß gebadet kommen sie an und bringen Munition. Auch Verpflegung und Zigaretten. —

Am anderen Morgen greifen wir den Russen im ,weißen Haus' an. Zug Schmidt stürmt mit blanker Waffe. Vier russische Offiziere und dreißig Mann verteidigen sich bis zum letzten Atemzug. Jetzt wird Feindnest um Feindnest ausgehoben, das ganze Donez-Viereck gesäubert. Viele Beute wird eingebracht.

Am Abend des Pfingstsamstag kann der Führer der ,Achten' melden, daß das Donez-Viereck vom Feind gesäubert ist und daß sich kein Russe mehr auf dem westlichen Donezufer in der Stellung des I. Batl. befindet."

Betrachtungen zu den Kämpfen des Jägerregiments 228:

Rückblickend wirft sich zwingend die Frage auf, ob die vom 20. bis zum 23. Mai dauernden Kämpfe des Jäg.Rgt. 228, die für die beteiligten Einheiten verlustreicher waren als die ersten drei Kampftage, nicht hätten vermieden werden können.

* Zweirädriger Gefechtskarren der Jägerregimenter.

Luftbild Studenok–Passeka

Am Donezknie Rest der zerstörten Brücke, dabei zahlreiche Stukatrichter.
Bei Studenok von Panzern zerwühltes Gelände.

Wenn man den Russen daran hindern wollte, sich in einem Brückenkopf auf dem westlichen Flußufer festzukrallen, dann mußte man sämtliche Übergangsstellen durch einen überraschenden Vorstoß in Besitz nehmen und das diesseitige Ufergelände beschleunigt säubern.

Nach den vorhandenen Karten schien nur bei Studenok eine Brücke über den Donez zu führen. Da Luftaufnahmen, mit deren Hilfe die Karten hätten überprüft werden können, nicht zur Verfügung standen, mußte das Divisionskommando im rechten Regimentsstreifen die Ortschaft Studenok als wichtigstes Angriffsziel betrachten. Dementsprechend erhielt das Rgt. 228 schon im Divisionsbefehl für den 18. Mai den Auftrag: „Studenok ist zu nehmen."

Erst später ergab sich, eindeutig bestätigt durch die am 27. und 28. Mai aufgenommenen „Stuka-Wirkungsbilder" der Nahaufklärungsgruppe 9, daß sich der wichtigste Donezübergang nicht bei Studenok, sondern bei Passeka befand. Hier – und nicht etwa bei Studenok – befand sich die Brücke, die am 18. Mai von den deutschen Stukaverbänden angegriffen wurde. Es zeigte sich erneut, daß der Russe Flußübergänge bevorzugte, die auf seinen Karten nicht erschienen, die aber in der Flanke zu erwartender Operationen lagen.

Trotzdem hätten die Friktionen, die sich aus der unerwarteten Übergangsstelle ergaben, weitgehend vermieden werden können, wenn der Führer des Rgt. 228 alsbald nach Erreichen der Höhe 200,7, anstatt sein Regiment zu zersplittern und zu „bataillieren", die ihm unterstellten Verbände und Waffen in einem am kurzen Zügel geführten „Kampfgruppen"-Gefecht zum Einsatz gebracht hätte. Ziel dieses Gefechtes mußte die Vernichtung der auf dem westlichen Donezufer zurückgebliebenen Feindkräfte sein. Erst danach konnte an die Erteilung des „Befehls zur Verteidigung des Donez" gedacht werden.

Der Angriff am Morgen des 19. Mai erfolgte verspätet, stieß an dem im Aufbau begriffenen russischen Brückenkopf „Passeka" vorbei und führte – die vorhandenen Unterlagen widersprechen sich in diesem Punkt – anscheinend auch nicht zur Besetzung von ganz Studenok. Deshalb entsprachen die Meldung

des Regiments vom 19. Mai früh („Angriffsziel von beiden Bataillonen erreicht. Studenok fest in unserer Hand") und die erste
Ziffer des am Morgen des 19. Mai erteilten Verteidigungsbefehls
des Rgt. 228 („Feind ist vom Westufer des Donez vertrieben")
nicht den Tatsachen. Diese Verkennung der Lage dürfte nicht
zuletzt dazu beigetragen haben, daß der planmäßigen Säuberung des westlichen Donezufers und dessen lückenloser Überwachung wie überhaupt der Schaffung der Voraussetzungen für
die nachfolgende Verteidigung von Anfang an nicht die gebo-
tene Bedeutung beigemessen worden war.

VIII.

Die Abschlußlage

Seit dem Abend des 23. Mai ist im Abschnitt der 101. le. Inf.Div. das westliche Donezufer restlos vom Russen gesäubert. Dieser richtet sich auf dem östlichen Ufer zur Verteidigung ein.

Damit hat die 101. Div. den ihr im Rahmen der „Frühjahrsschlacht bei Charkow" zugefallenen Auftrag erfüllt. Neben 2651 Gefangenen erbeutete sie: 62 Panzer, 39 Geschütze, 20 schwere Granatwerfer, 15 schwere Maschinengewehre, 52 Panzerbüchsen, zahllose leichte Waffen, 82 Lastkraftwagen, ungezählte Fahrzeuge und Pferde sowie sehr viel sonstiges Kriegsgerät.

An Verlusten hatte die Division in der Zeit vom 17. bis zum Abend des 20. Mai zu beklagen: 131 Tote, 749 Verwundete und 32 Vermißte, von denen die Mehrzahl ebenfalls als tot zu betrachten ist. Die Kämpfe bis zur Beseitigung des russischen Brückenkopfes „Passeka" am 23. Mai kosteten weitere 25 Tote, 87 Verwundete und 30 Vermißte. Eigene Ausfälle an schweren Waffen, Fahrzeugen und Gerät waren nicht zu verzeichnen.

Der am 17. Mai begonnene Gegenangriff der deutschen Heeresgruppe Süd nimmt vom 23. Mai ab die Formen der Vernichtungsschlacht an. Am Vormittag dieses Tages gelingt es den Panzerspitzen der Armeegruppe Kleist, sich südwestlich von Balakleja mit den vordersten Teilen der 6. Armee zu vereinigen. Der, wenn auch noch nicht durchgehende Ring um die westlich des Donez stehenden russischen Armeen ist geschlossen. Deren Widerstand bricht endgültig am 26. Mai zusammen. Damit hat die „Frühjahrsschlacht bei Charkow", die zu den kühnsten und dramatischsten Operationen des Zweiten Weltkrieges gehört, ihr Ende gefunden.

Anhang

101. le. Inf.Div.   Div.-Gefechtsstand, den 15. Mai 1942
Abt. Ia Nr. 359/42 geh.   Uhrzeit: 21.00 Uhr

Divisionsbefehl für Bereitstellung und Angriff

1. *Feind* hat Anfang April nach Einstellen der Großangriffe
gegen die Nordfront der Armee starke Verbände zur Auffrischung in die Gegend südlich Jsjum – westlich und ostwärts
des Donez – herausgezogen. In Erwartung deutscher Angriffe
hat er in der letzten Zeit stärkere, aufgefrischte Teile, dabei
auch Panzer, in die unmittelbar hinter der Front gelegenen
Ortschaften und Waldungen verlegt.
Der Gegner wird bei einem deutschen Angriff bemüht sein,
seine Stellungen beiderseits der Seenkette Sslawjansk–Golaja
Dolina und im Walde nördlich Sslawjansk zu halten und durch
Gegenangriffe mit Panzerunterstützung gegen Angriffsspitzen
und Flanken den Angriff zum Erliegen zu bringen. Es muß
damit gerechnet werden, daß feindliche Panzer auch in Waldungen auftreten werden.
Einzelheiten siehe Feindnachrichtenblatt (Anl. 1 mit 3 Bei-
lagen).

2. *101. le. Div.* – unter Befehl des Gen.Kdo. LII. A.K. – tritt am
X-Tag, Y-Uhr, aus ihren Bereitstellungen an, durchbricht die
feindliche Waldstellung westlich Försterei–Irrenhaus und zerschlägt in umfassendem Angriff die feindliche Verteidigung
um Kolomizy und Forsthaus (1 km ostwärts Nordausgang
Christischtsche). Sie gewinnt dann, über Nordteil Christischtsche und Höhe 225,4 vorstoßend, das für die weiteren Kämpfe
entscheidende Höhengelände um 199,5 und ostwärts Golaja
Dolina. Durch Freikämpfen und schnelle Entminung ermöglicht sie die baldige Benutzung der Straße Sslawjansk, Christischtsche.
Rechts wird 257. Div., aus Westteil Majaki antretend, in allgemein nordwestlicher Richtung mit linkem Flügel durch den
Wald auf 166,6 (2 km südostw. Bogoroditschnoje) angreifen.

97. le. Div. und 16. Pz.Div. werden links aus Bylbassowka heraus beiderseits der Höhenlinie 198,6–206,2 in den Raum westlich Golaja Dolina vorstoßen.

3. *Bereitstellung:*

In der Nacht zum X-Tag stellen sich hinter den vorderen Sicherungen bereit:

a) *Rechts:* Jäg.Rgt. 228 ohne II. Batl., verstärkt durch 2./Pi. 101, bei und im Walde südlich Försterei;

b) *links:* Jäg.Rgt. 229, verstärkt durch 3./Pi. 101, im Walde ostwärts Irrenhaus und im Waldstück nordwestlich Ssobolewka.

   Einrücken in die Bereitstellung nach Beginn der Dunkelheit derart, daß sie um 02.00 Uhr beendet ist.

   Anmarschwege: Jäg.Rgt. 228 auf Weg Sslawjansk Nordzipfel, hart westlich 189,0 und nordwestlich; erste Teile ab 21.00 Uhr Nordrand Sslawjansk überschreitend. Jäg.Rgt. 229 von Sslawjansk Nordzipfel, Ssobolewka; erste Teile 23.00 Uhr aus Sslawjansk Nord.

c) Art.Rgt. 85 mit Beginn der Dunkelheit (19.30) ist über Ssobolewka II./Art.Rgt. 389 und 7./(W.)Art.Rgt. 389 in die Stellung vorzuziehen. Bei den anderen Abteilungen sind noch notwendige Stellungswechsel durchzuführen.

d) Radf.Abt. 101 nimmt bis 02.00 Uhr unter Belassung kampfkräftiger Besatzungen in den Stützpunkten die notwendigen Verschiebungen ihrer Kräfte im derzeitigen Abschnitt vor.

e) II./Jäg.Rgt. 228 – der Division unmittelbar unterstellt – stellt sich unter Belassung schwacher Teile auf 166,0 zur Sicherung der dortigen B-Stellen bis 02.00 Uhr in Gegend bei und ostwärts See–Kolchos tiefgegliedert zum Angriff bereit.

Alle Pferde und Fahrzeuge, die nicht sofort benötigt werden, sind wegen Gefährdung durch feindliches Feuer in Sslawjansk zu belassen und bis Y-Uhr in den Ortsteil ostwärts des Straßenzuges General-Sachs-Brücke, Leninplatz zu verlegen. Diese

Straße wird während mehrerer Stunden am Vormittag des X-Tages durch Teile 16. Pz.Div. dicht belegt werden.

4. *Trennungslinien für Bereitstellung und Angriff:*

Rechts zu 257. Div.: Höhe 189,0 (3 km nördlich Nordrand Sslawjansk) – Forsthaus 2,5 km südwestlich Majaki – Höhe 199,5 (3 km ostwärts Golaja Dolina). Alles zu 101. le. Div.

Zwischen Jäg.Rgt. 228 und Jäg.Rgt. 229: Ssobolewka (229) – Irrenhaus (229) – Forsthaus 1 km nordostwärts Christischtsche (228) – Höhe 225,4 – Nordwestrand Waldstück 2 km ostwärts Golaja Dolina – Westrand Bogoroditschnoje.

Zwischen Jäg.Rgt. 229 und Radf.Abt. 101: Weg Sslawjansk Nord, Glubokaja Makatycha (zu Radf.Abt.) – Nordostecke Glubokaja Makatycha – Westrand Kolomizy.

Zwischen Radf.Abt. 101 und II./Jäg.Rgt. 228: Straße Sslawjansk bis zur Kurve nordostwärts Perepletki (Radf.Abt.) – Ortsmitte Christischtsche (von hier Grenze zu Jäg.Rgt. 229) – Westrand Waldstück 1,5 km ostwärts Adamowka.

Divisionsgrenze links zu 97. le. Div. (zugleich Grenze LII./ XXXXIV. A.K.): Ostrand des runden Teiches in Sslawjansk West – Haus 1200 m südwestlich 166,0 (Wasserwerk) – Ostrand Seenkette – Golaja Dolina (LII. A.K.).

5. *Kampfaufträge:*

a) *Jäg.Rgt. 228* mit unterstellter 2./Pi. 101 bricht – Y-Uhr antretend und zwei Bataillone nebeneinander – in die vorderen feindlichen Stellungen ein und stößt, in sich tief gegliedert und rechts gestaffelt, unter Durchbruch durch die feindlichen Waldstellungen bis Försterei (1 km nordostwärts Christischtsche) (1. Angriffsziel) vor. Unter Abschirmung nach Norden setzt dann das Regiment seinen Angriff entlang des Waldrandes in Richtung 225,4 fort und nimmt diese Höhe.

Das Tagesziel für das Regiment ist – nach Abwehr zu erwartender feindlicher Gegenstöße – *Höhe 199,5.*

b) *Jäg.Rgt. 229,* dem 1./Sturmgesch.Abt. 245 (voraussichtlich sechs Geschütze) bis zum Einbruch in den Wald und 3./Pi. 101 ständig unterstellt werden, tritt Y-Uhr zum Angriff an und durchstößt unter Abschirmung nach links die Waldschlucht nördlich Glubokaja Makatycha. Das Regiment bricht in die feindlichen Stellungen auf den Höhen um Scharabany–Kolomizy ein und nimmt als erstes Angriffsziel die Höhe nördlich davon. Mit rückwärtigen Teilen ist Glubokaja Makatycha von Norden her anzugreifen und die dortige Enge zu öffnen; die Stellungen auf Höhe südlich Kolomizy sind im Zusammenwirken mit II./Jäg. Rgt. 228 zu nehmen.

Unter scharfer Zusammenfassung der Kräfte nimmt das Regiment, den Angriff entlang der Straße Kolomizy, Golaja Dolina fortsetzend, Christischtsche Nord und Höhe 225,4. Es kommt für das Regiment darauf an, am Abschluß des ersten Kampftages auf den Höhen ostwärts Golaja Dolina zu stehen.

c) *Radf.Abt. 101* mit unterstelltem Zug Pi.Batl. 213 tritt ab Y-Uhr + 30 Minuten mit Schwerpunkt entlang des Weges Sslawjansk, Glubokaja Makatycha, sonst in breiter Front und in sich tief gestaffelt mit linkem Flügel entlang der großen Straße, zum Angriff an und fesselt den in Stellungen südlich Glubokaja Makatycha eingenisteten Gegner; Spähtrupps sind ab Y-Uhr anzusetzen.

Die von Norden Glubokaja Makatycha angreifenden Teile des Jäg.Rgt. 229 sind durch Angriff von Südosten her zu unterstützen. Bei Ausweichen des Gegners ist bis zum Bachgrund Glubokaja Makatycha–Perepletki nachzustoßen.

d) *II./Jäg.Rgt. 228* mit unterstellter Kompanie Pi.Batl. 213 und einem bespannten Zug le. Pak/Pz.Jäg.Abt. 101 tritt Y-Uhr tiefgestaffelt und mit Schwerpunkt links über die Linie 166,0 – Seekolchos zum Angriff an, durchstößt nach Wegnahme des Stützpunktes bei + 2,0 die feindlichen Stellungen und Minenfelder am Südostrand der Obstplantage. Unter Ausnutzung der Mitwirkung des längs der Seenkette vorgehenden rechten Flügels des 97. le. Div. (Inf.Rgt. 535, mit dem Verbindung aufzunehmen ist) nimmt das Bataillon Perepletki und ermöglicht durch Angriff gegen die

Höhen südlich Kolomizy im Zusammenwirken mit Teilen des Jäg.Rgt. 229 Nachziehen der Masse des Pi.Batl. 213 und Freimachen des Übergangs über den Bachgrund bei Straßenkurve.

Spätere Aufgabe kann es sein, entweder unter Belassung schwacher Sicherungen gegen Christischtsche hinter Jäg. Rgt. 229 nachgezogen zu werden oder zur Fesselung feindlicher Kräfte im Südteil des Ortes Angriff in nordwestlicher Richtung fortzusetzen.

6. *Artillerie:*

   a) *Kampfauftrag:*

Unter Kdr. Art.Rgt. 85 zerschlägt die Divisionsartillerie (verstärkt durch II./Art.Rgt. 389) ab Y-Uhr bis Y-Uhr + 35 Minuten nach Feuerplan (s. Anl. 2) den Gegner in seinen Stellungen, seine Waffen und Nachrichtenverbindungen und erschwert durch Vernebelung der auf Höhenzug Kolomizy–Perepletki befindlichen B-Stellen beobachtetes Feuer der schweren Waffen und Artillerie in den Angriffsstreifen der Division. Ab Y-Uhr + 36 Minuten unterstützt Art.Rgt. 85 die angewiesenen Regimenter.

Durch Verschießen von Nebelmunition bei den Feuerschlägen gemäß Feuerplan und auch während der anderen artilleristischen Aufgaben ist der Gegner zu täuschen und zu beunruhigen.

Feuerzusammenfassungen der Divisionsartillerie auf zu erwartende Widerstandszentren des Gegners sind vorzubereiten.

   b) *Es werden angewiesen:*

     1) II./Art.Rgt. 389 (3 Battr. le. F.H. 16) in Stellungen in Gegend nordwestlich Ssobolewka zunächst auf Jäg. Rgt. 228; V.B. sind abzustellen. Ein Stellungswechsel der Abteilung über den Bachgrund Glubokaja Makatycha–Perepletki nach Norden darf nicht durchgeführt werden. Die Abteilung scheidet später aus dem Befehl der Division aus.

     2) II./Art.Rgt. 85 (2 Battr. le. F.H. 18), zunächst unter

Befehl Kdr. Art.Rgt. 85 für Schwerpunktaufgaben vorgesehen, wird nach erstem Stellungswechsel aus Feuerstellungen nördlich Sslawjansk Nordrand auf Jäg.Rgt. 228 angewiesen.

A.V.Ko. der Abteilung tritt bereits vor Angriffsbeginn zu Jäg.Rgt. 228.

3) III./Art.Rgt. 85 (2 Battr. le. F.H. 18, 1 Battr. le. F.H. 16 nur aus ersten Feuerstellungen, da unbeweglich) aus Stellungen um Nordzipfel Sslawjansk auf Jäg. Rgt. 229.

4) Als Schwerpunktabteilung unter Befehl Kdr. Art. Rgt. 85:

IV./Art.Rgt. 85 (2 Battr. s. F.H.) in Stellungen am Nordrand Sslawjansk und 7. (Werfer)/Art.Rgt. 389 aus Stellungen südostwärts Ssobolewka.

7.(W)/Art.Rgt. 389 hat den Auftrag, mit Flächenfeuersalven (freigegeben zehn Salven) feindliche Stellungen, Nachrichtenverbindungen und Reserven mit *nachhaltigster* Wirkung zu zerschlagen. Eigene Truppe ist auf das Vorhandensein dieser Werferbatterie – Geschosse mit Raketenantrieb – hinzuweisen.

c) *Bekämpfung erkannter feindlicher Artillerie:*
Falls feindliche Batterien einwandfrei erkannt werden, sind sie

1) entweder durch Divisionsartillerie – soweit es die anderen Aufgaben zulassen – sofort zu bekämpfen,

2) oder der Division zu melden zur Bekämpfung durch Schwerpunkt-Artillerie des XXXXIV. A.K. unter Art. Rgt. z.b.V. 704.

d) *Stellungswechsel:*
Erste neue Stellungsräume in Gegend südlich Glubokaja Makatycha außerhalb der feindlichen Minenfelder, nach Öffnung der dortigen Enge im Raum südlich Kolomizy. Die Protzen der für einen baldigen Stellungswechsel vorgesehenen Batterien müssen frühzeitig nahe, jedoch aufgelockert in einen Raum herangezogen werden, der der feindlichen Waffenwirkung möglichst entzogen ist. Im

übrigen sind die Protzenstellungen möglichst dicht an das Westufer des Torez nordostwärts des Straßenzuges General-Sachs-Brücke, Leninplatz zu legen.

e) *Sturmgeschütz-Battr. 1./245* wird zunächst Jäg.Rgt. 229 unterstellt. Sie stellt sich nördlich Ssobolewka, ab 19.30 Uhr geschützweise mit 30 Minuten Abstand Sslawjansk Nordzipfel verlassend, zum Angriff bereit. Munitionsfahrzeuge sind erst nach Y-Uhr nachzuziehen.

Die Batterie tritt nach Eindringen der Infanterie in den Wald wieder unter den Befehl der Division zurück und ist in Gegend Wald ostwärts Irrenhaus zur Verfügung der Division zu halten. Batteriechef bleibt bei Stab/Jäg.Rgt. 229 für die Division erreichbar. In enger Verbindung mit dem Regiment ist Herüberziehen der Batterie durch die Waldschlucht zu erkunden und Ergebnis der Division zu melden. Ohne Genehmigung der Division ist Überschreiten der Schlucht verboten.

Bei Jäg.Rgt. 229 ist ein Verbindungsorgan der Batterie einzuteilen, das Marschweg für ein Nachziehen der Batterie durch den Wald in Richtung Forsthaus, 1 km nordostwärts Christischtsche, zu erkunden hat. Wenn überhaupt, so kann ein Nachführen der Batterie hinter Jäg. Rgt. 228 erst nach Erreichen des Forsthauses und nach Meldung über Vorhandensein eines minenfreien Weges dorthin erfolgen.

7. *Pioniere:*

a) Pi.Batl. 101 (ohne 2. und 3. Kp.) erreicht zur Verfügung der Division Gegend Ssobolewka, jedoch nicht vor Y-Uhr + 60 Minuten. Kommandeur bei Gefechtsstand Jäg.Rgt. 229.

Nachführen hinter Jäg.Rgt. 229 und Einsatz zur Schaffung eines minenfreien Durchgangs und Übergangs über den Bachabschnitt bei Glubokaja Makatycha sind vorzubereiten. Die den Jägerregimentern unterstellten Kompanien haben Flammenwerfer mitzuführen, desgleichen vorbereitete gestreckte Ladungen für Schaffung von Durchgängen in Baumsperren.

b) Pi.Batl. 213, der Division unterstellt, hält sich mit Masse in Gegend „M.T.St.", 2 km südostwärts 166,0, zur späteren Nachführung hinter II./Jäg.Rgt. 228, zur Entminung der Straße Sslawjansk, Kolomizy sowie zur Schaffung eines minenfreien Übergangs über den Bachabschnitt bei Straßenkurve bereit.

Kommandeur zum Divisionsgefechtsstand. Eine Kompanie ist II./Jäg.Rgt. 228 zunächst zur Schaffung von Gassen durch die Minenfelder südostwärts Perepletki und ein Zug Radf.Abt. 101 für Räumaufgaben in Gegend südlich Glubokaja Makatycha zu unterstellen.

8. *Panzerabwehr:*

a) Pz.Jäg.Abt. 101 (ohne 1 besp. Zug, der II./Jäg.Rgt. 228 zu unterstellen ist) erreicht in der Nacht 16./17. 5. 1942 gemäß Sonderbefehl Sslawjansk und hält sich am X-Tag in ihrem Unterkunftsraum bereit. Einsatz voraussichtlich nicht vor Vorhandensein eines minenfreien Überganges über den Bachabschnitt Glubokaja Makatycha–Perepletki. Kommandeur zum Divisionsgefechtsstand.

b) Für die Jägerregimenter kommt es darauf an, ihre bespannten leichten Pakzüge und die schweren Panzerbüchsen möglichst nahe heranzuhalten, um bis zum Nachziehen der eigenen mittleren Pak und der Panzerjägerabteilung nicht ohne Panzerabwehrmittel zu sein.

c) Soweit es vorhandene Sonderausstattung (Brandflaschen usw.) zuläßt, sind Panzer-Nahkampftrupps auszurüsten und für Bekämpfung feindlicher Panzer bereitzuhalten.

9. *Luftwaffe:*

a) Durch ständigen Einsatz von Jagdfliegern wird die Luftüberlegenheit im Angriffsraum errungen und erhalten werden. Mit überraschendem Angriff einzelner feindlicher Flugzeuge muß trotzdem gerechnet werden.

b) Y-Uhr bzw. kurz danach werden zwei Kampfgruppen Christischtsche Nordteil angreifen und dortige Kampfanlagen und Reserven zerschlagen.

c) Während des Vormittags wird vor allem mit fortlaufendem Angriff eigener Schlachtflieger auf feuernde feindliche Batterien, erkannte feindliche Infanterie oder Panzerbewegungen sowie auf Bereitstellungen zu rechnen sein.

d) *Zusammenarbeit* mit der eigenen Luftwaffe: Gelbe Tuchzeichen und orange Rauchsichtzeichen sind überall in vorderster Linie mitzuführen und bei Gefahr, von eigenen Fliegern verwechselt und angegriffen zu werden, zu zeigen. Auf die Richtlinien für den Verständigungs- und Erkennungsdienst zwischen Truppenteilen am Boden und fliegenden Verbänden wird hingewiesen.

Sobald Absicht eigener Flugzeuge, in den Erdkampf einzugreifen, erkennbar ist, sind diese durch Schießen mit Leuchtspurmunition oder mit einzelnen Nebelschüssen auf besonders wichtige Ziele hinzuweisen.

e) Flakschutz im Raume Sslawjansk ist sichergestellt.

10. *Aufklärung:*

a) Es kommt darauf an, daß möglichst bald besetzte rückwärtige Stellungen, anmarschierende Reserven, ihre Bereitstellung zu Gegenangriffen sowie das Auftreten von Panzern erkannt und gemeldet werden. Besonders wichtig ist zu wissen, wo befinden sich Feindkräfte und Artillerie im Raume Christischtsche–Adamowka, wo sind Widerstandslinien in Gegend südlich und ostwärts Golaja Dolina? Wo liegen beiderseits der Straße Sslawjansk, Golaja Dolina Minensperren?

b) Gefangene sind unverzüglich über Stützpunkte, Stellungen usw. im Walde zu vernehmen. Beutepapiere gefallener oder gefangener Führer sind sofort von Offizieren zu durchsuchen, um für den Kampf wichtige Stellungskarten oder Minenpläne zu finden. Soweit es sich bei Beutepapieren um Schriftstücke usw. handelt, die nicht für den augenblicklichen Kampf der Truppe wichtig sind (z. B. Karten rückwärtiger Stellungen), sind diese unverzüglich der Division zur Auswertung zu übersenden.

11. *Reserven:*

a) Divisionsreserve: Radf.Abt. 101 nach Erledigung ihres ersten Auftrages (siehe 5c).

b) Korpsreserve: Batl. z.b.V. 500 im Nordzipfel Sslawjansk.

12. *Zeitpunkt des Angriffs:*

X-Tag voraussichtlich 17. 5. 1942.

Y-Uhr zwischen 2.45 und 3.30 Uhr.

Y-Uhr bedeutet die Freigabe des Feuers aller Waffen und damit auch den Beginn der ersten Feuerschläge.

Vor Y-Zeit sind Bewegungen und Lärmmachen, wodurch dem Feind die Angriffsabsicht verraten werden kann (z. B. Vorfahren der Sturmgeschütze in die vordere Linie) *verboten.*

Bis spätestens vier Stunden vor Y-Zeit wird den Truppenteilen das Stichwort zum Antreten des Angriffs (= „Donez") oder zum Abblasen des Angriffs (= „Agram") fernmündlich durchgegeben. Die Truppenteile stellen sicher, daß das Stichwort an alle am Angriff beteiligten Truppen sofort weitergegeben wird.

13. *Nachrichtenverbindungen:*

N. 101 stellt her und hält vom Divisionsgefechtsstand

a) Fernsprechverbindungen zu
Jäg.Rgt. 228 und 229,
Art.Rgt. 85,
Radf.Abt. 101,
II./Jäg.Rgt. 228,
Div.-Beobachtung;

b) Funkverbindungen zu
Jäg.Rgt. 228 und 229,
II./Jäg.Rgt. 228,
Radf.Abt. 101.

c) Funkverkehr der Nachbarn, Aufklärungsflieger und der im Angriffsstreifen der Division vorgehenden Lichtmeßstelle B.A. 27 ist mitzuhören.

14. *Meldewesen:*

Es ist nach Beutekarten 1:100 000 zu melden. Von der zuletzt ausgegebenen Bezugspunktkarte ist weitgehend Gebrauch zu machen. Mit sofortiger Wirkung sind Morgen-, Zwischen- und Tagesmeldungen an Abt. Ia durchzugeben. Zeiten werden noch befohlen.

Einnahme der Bereitstellungen am X-Tag früh ist fernmündlich zu melden.

15. *Divisionsgefechtsstand:* Ab 16. 5. 12.00 Uhr Sslawjansk Nord in Gegend 3,5 km ostsüdostwärts 166,0. Spätere Verlegung während des Angriffs in den Raum Wald ostwärts Irrenhaus–Glubokaja Makatycha beabsichtigt.

16. *Befehlsübernahme* durch die Division im Angriffsstreifen: X – 1 Tag 18.00 Uhr. Bis zu diesem Zeitpunkt Befehlsführung an der Front nördlich und nordwestlich Sslawjansk durch 257. Div.
                                                    gez. *Diestel*

Anlagen: 1. Feindnachrichtenblatt, mit bes. Anordnungen für das Ic/A.O.-Gebiet, mit Minenkarte, Planpause *(fehlt).*

2. Feuerplan Art.Rgt. 85.

3. Besondere Anordnungen für die Nachrichtenverbindungen.

Verteiler: Wie Entwurf.

Anlage 1

101. le. Inf.Div.   Div.St.Qu., den 15. 5. 1942
Abt. Ic.

Feindnachrichtenblatt

Vor der Front der Division liegt die 51. Schütz.Div. mit den Schütz.Rgt. 23, 263 und 348. Kompaniestärken nach Gefangenenaussagen vom 6. 5. 1942 70–100 Mann. In jeder Kompanie vier bis fünf MG.

Die vorgeschobenen Stellungen des Gegners befinden sich in Linie Waldecke (1,5 km nördlich 198,0) und Punkt + 2,0 (am See 2 km südostwärts Perepletki). Einzelheiten siehe Feindlagenkarte. Sie staffeln sich in die Tiefe bis Linie Glubokaja Makatycha–

Perepletki. In dieser Linie ist nach Aussage von Überläufern ein Minenfeld (Panzerminen), dicht dahinter sind einzelne Feldstellungen und 300 m weiter rückwärts Infanterieminen.

Die HKL wird in Linie Wald ostwärts Scharabany (Baumverhau mit Blockhaus) – Nordwestrand Perelomy angenommen. Das Hauptkampffeld staffelt sich vermutlich in die Tiefe bis an den Süd- und Südostrand von Christischtsche. Nach Gefangenenaussagen sind hier alle Häuser zur Verteidigung eingerichtet, auch sollen Feldstellungen und Unterstände für jeweils acht bis zehn Mann vorhanden sein. Vor Baumverhau im Wald ostwärts Scharabany Sprengladungen; zwischen Kolomizy und See südwestlich Christischtsche angeblich Minenfeld (Drahtminen).

An der Straße Sslawjansk, Christischtsche vor der Brücke (1,5 Kilometer südwestlich Glubokaja Makatycha) angeblich Panzerfalle und starke Verminung. Auch hinter der Brücke sollen Minen eingebaut sein. Weitere Minenfelder beiderseits der Straße südlich Scharabany und südlich Christischtsche. Nach Aussagen von Gefangenen ist beiderseits der Straße bei 221,1 eine Panzerfalle.

200 m ostwärts Scharabany vermutlich Befehls- und B-Stelle (lebhafter Melder- und Autoverkehr).

Nach Meldung eines Aufklärungsfliegers sind in Gegend 225,4 nördlich Christischtsche beiderseits der Straße neue Feldbefestigungen gebaut worden.

Vor rechtem Nachbar im Wald 30. Kav.Div., Teile der 333. Schütz.Div. und vermutlich Teile der 12. Pz.-Brigade mit fünf bis acht Panzern. Vor linkem Nachbar 335. Schütz.Div.

Nach Gefangenenaussagen ist die Stimmung beim Gegner im allgemeinen schlecht. Doch darf Gegner nicht unterschätzt werden. Der einzelne Rotarmist wird sich, durch Greuelmeldungen verängstigt und in die Verteidigung gedrängt, zäh wehren. Zusammensetzung der Mannschaften angeblich 60 Prozent Russen, 20 Prozent Ukrainer, der Rest aus kaukasischen Volksstämmen.

Verteiler: i. Entwurf.

Für das Divisionskommando:
Der 1. Generalstabsoffizier
gez. *Ludendorff*
Major i. G.

101. le. Inf.Div. Div.Gef.Std., den 15. 5. 1942
Abt. Ia

Besondere Anordnungen für die Nachrichtenverbindungen
zum Divisionsbefehl für den Angriff

A) *Drahtverbindungen.*

Mit Operationsbeginn ist die Ausnutzung permanenter Leitungszüge durch die Truppen-Nachrichten-Verbände beim Divisions-Nachrichten-Führer *vorher* zu beantragen, der dann die Genehmigung des Korps einholt. Es wird darauf hingewiesen, daß bei der Ausnutzung von Leitungen grundsätzlich nur ein bestimmter „Platz" durchgebracht wird.

Auf das Abschirmen russischer Kabel und Leitungen pp. wird besonders hingewiesen.

B) *Funkverbindungen.*

1. Am X-Tage treten der Funkplan „Leuthen" und die Auszüge aus dem Funkplan in Kraft. Für anmarschierende und bereitgestellte Verbände wird Funkstille befohlen.

2. Grundsätzlich ist für alle Truppen-Nachrichten-Verbände einschließlich Korps-, Armee- und Heerestruppen an Stelle des Truppenschlüssels das Doppelkastenschlüsselverfahren anzuwenden. Für Flugmeldedienst Heer ist Meldelinie 2 zu benutzen.

C) *Nachrichtengerät.*

Alle Truppenteile sind nachdrücklichst dazu anzuhalten, bei Fortschreiten der Operationen ihr eingebautes Kabel aufzunehmen. Mit Kabelnachschub ist nur in geringstem Umfang zu rechnen. Im ersten Abschnitt der Kampfhandlungen ist alles Kabel soweit als möglich hochzubauen (Durchmarsch der Panzerdivision durch Sslawjansk).

Anlage 2

Feuerplan

Zeit	Abteilung	Ziel	Feuerart	Munitionseinsatz
Y bis Y + 10	II./85 mit 9./85	Feuerzusammenfassung Liebmann links (II./Jäg.Rgt. 228)	3 Feuerüberfälle	144 le. F.H. 48 s.F.H.
	III./85 (ohne 1 Battr.) mit 8./85	Feuerzusammenfassung Kissel rechts (Jäg.Rgt. 229)	3 Feuerüberfälle	144 le. F.H. 48 s.F.H.
	II./389	Feuerzusammenfassung Kissel rechts	3 Feuerüberfälle	180 le. F.H.
	1 Zug II./389	Feuerzusammenfassung Kissel rechts	Nebelschießen	24 Nb. le. F.H.
	1 Battr. III./85	Höhe nordwestlich Glubokaja Makatycha	Einschießen mit Nebel	5 Nb. le. F.H.
Y + 15 bis Y + 25	II./85 mit 9./85	Feuerzusammenfassung Liebmann rechts	3 Feuerüberfälle	144 le. F.H. 48 s.F.H.
	III./85 (ohne 1 Battr.) mit 8./85	Feuerzusammenfassung Kissel links	3 Feuerüberfälle	144 le. F.H. 48 s.F.H.
	II./389	Feuerzusammenfassung Kissel links	3 Feuerüberfälle	180 Nb. le. F.H.
	1 Zug II./389	Feuerzusammenfassung	Nebelschießen	24 Nb. le. F.H.

			Nebelschießen	120 le.F.H., le.F.H.
1 Batt. III./85	…ne holuwestna Glubokaja Makatycha			
Y + 30 bis Y + 35	II./85 mit 9./85	Feuerzusammenfassung Jakob (Radf.Abt. 101)	1 Feuerüberfall	48 le.F.H. 16 s.F.H.
	III./85 (ohne 1 Battr.) mit 8./85	Feuerzusammenfassung Jakob	1 Feuerüberfall	48 le.F.H. 16 s.F.H.

Erläuterungen:
Auslösung des 1. Feuerüberfalls durch das A.R. 85
Nach jedem Feuerüberfall 100 m zulegen
Feuerverteilung siehe Planpause *(fehlt)*

Y + 35 bis	Schießen der VB und Hauptbeobachtungen zur Unterstützung der angewiesenen Jägerregimenter

Feuerplan für die 7.(W)/389

Zeit	Abteilung	Ziel	Feuerart	Munition
Y bis Y + 10	7.(W)/389	Waldspitze	Salve	36
	7.(W)/389	Forsthaus	Salve	36
	7.(W)/389	Heidekrug	Salve	36
Y + 10 bis Y + 15	7.(W)/389	Wegegabel links	Salve	36
	7.(W)/389	Wegegabel rechts	Salve	36
Y + 15 bis Y + 18	7.(W)/389	Ortsmitte	Salve	36
Y + 18 bis Y + 30	7.(W)/389	Leberfleck	Nebelschießen	8

101. le. Inf.Div.   Div.Gef.Std., den 17. 5. 1942
Abt. Ia

Divisionsbefehl für die Fortsetzung des Angriffs am 18. 5. 1942

1. Der *Feind* ist aus seinem ganzen Hauptkampffeld an der Front nordwestlich Sslawjansk geworfen. Starke Teile der 51. Inf.Div. und Teile der 30. Kav.Div. sind zerschlagen. Mit rückwärts verfügbaren Kräften hat er vorbereitete Feldstellungen auf 199,5 und ostwärts Golaja Dolina besetzt.

2. *101. le. Div.* tritt 05.40 Uhr nach starkem Luftangriff gegen feindliche Stellungen auf 199,5 aus Bereitstellungen im Nordwestteil des Forstes nördlich Sslawjansk an und nimmt zunächst die Höhen hart nördlich Straße Bogoroditschnoje, Golaja Dolina (erstes Angriffsziel). Die Division setzt dann in allgemein nordwestlicher Richtung den Angriff fort, erreicht den Donez im Abschnitt Wald nordostwärts 200,7, 2 km westlich Bogoroditschnoje, und Bachmündung, 3 km südostwärts Kamenka, wo sie am Westufer des Flusses zur Verteidigung übergeht.
Von dem Erreichen des Donez und der Bildung einer festen Abwehrfront durch 101. le. Inf.Div. wird es abhängen, ob die Gesamtoperation der 17. Armee gelingen wird.

3. *Dazu stellen sich bereit:*
Rechts verst. Rgt.-Gruppe Jäg.Rgt. 228, dem II./228 wieder unterstellt wird, mit unterstellter 1./Sturmgeschütz-Battr. 245 und 2./Pi.Batl. 101 sowie II./Art.Rgt. 85 mit 9./Art.Rgt. 85;
links verst. Rgt.-Gruppe Jäg.Rgt. 229, verstärkt durch 3./Pi. Batl. 101 und III./Art.Rgt. 85 mit 8./Art.Rgt. 85.
Trennungslinie: Forsthaus nordostwärts Christischtsche – südwestlicher Rand Obstplantage 2 km ostwärts Golaja Dolina – 202,4 (229) – 215,8 (228) – Studenok (228) – Bhf. Jeremowka.

4. *Trennungslinie* 101. le. Div. zu 257. Div., die aus allgemein südostwärtiger Richtung Bogoroditschnoje nehmen wird: bis

199,5 wie bisher–200,7 (101.), dann in allgemein nordostwärtiger Richtung auf Eisenbahngabel 7 km nördlich Bogoroditschnoje; links zu 97. le. Div., die 05.45 von Krasnopolje 1 aus Krasnopolje 2 angreifen wird: bis Golaja Dolina wie bisher – Ssissinki (97.) – Tichozkij (101.) – Bachmündung bei Schewtschenko.

5. *Kampfaufträge:*
   a) *Verst. Jäg.Rgt. 228* tritt um 05.40 Uhr zum Angriff an, gewinnt 199,5 und stößt auf die Höhe hart nordwestlich Nordrand Plantage vor. Es kommt darauf an, zu erwartende feindliche Gegenstöße zunächst abzuwehren und dann, in sich tief rechts gestaffelt, über 200,7, das zu nehmen und zu halten ist, in den Raum südwestlich Studenok vorzustoßen. Studenok ist zu nehmen.
   Letzte Bombe wird gegen 05.45 Uhr fallen, danach Angriffe mit Bordwaffen bis unmittelbar vor Einbruch in die feindliche Stellung. Durch Schießen einzelner Nebelschüsse sind der Luftwaffe von etwa 05.15 Uhr ab die wichtigsten Ziele zu bezeichnen.
   b) *Verst. Jäg.Rgt. 229* tritt unter Ausnutzung des Angriffs Jäg.Rgt. 228 ebenfalls zum Angriff an, nimmt Golaja Dolina und Höhe hart nordwestlich Nordwestecke Plantage. Es stößt dann durch den Wald bei 202,4 und über 215,6 auf das Höhengelände 199,7–190,9, ostwärts Tichozkij, vor und nimmt Ssenitscheno.

6. *Art.Rgt. 85* überwacht mit unmittelbar unterstellter 4./Art. Rgt. 53 Angriff der Regimenter und stellt sicher, daß möglichst bald Teile der den Regimentern unterstellten Abteilungen nach vorn herangezogen werden.
   Wegen Mitwirkung starker Teile der nördlich Hufeisenwald stehenden Korpsartillerie XXXXIV. A.K. setzt sich Kdr. Art. Rgt. 85 unmittelbar mit Oberst Philipp in Verbindung.

7. *Pi.Batl. 101* (ohne 2. und 3. Kp.) und *Radf.Abt. 101* bleiben zur Verfügung der Division in ihren augenblicklichen Räumen. Die Radfahrabteilung hält sich bereit, hinter dem linken Flügel als Divisionsreserve nachgezogen zu werden.

135

8. *Pz.Jäg.Abt. 101* übernimmt, den Angriff der Regimenter begleitend, zusätzlichen Panzerschutz. Es kommt darauf an, daß besonders rechter Flügel der Division gegen Panzerangriffe aus dem Raum Bogoroditschnoje geschützt wird. Ein mittlerer Zug ist als Verfügungsreserve der Division in Christischtsche bereitzustellen.

9. *2 Flakbatterien* werden für Luftschutzaufgaben neu zugeführt. 2./Fla. 66 überwacht Bereitstellung und Angriff der Division.

10. *Nachrichtenverbindungen* wie bisher, jedoch ohne II./228.

11. *Div.Gef.Std.:* 18. 5. Christischtsche-Nord.

gez. *Diestel*

Verteiler: Wie Entwurf.

101. le. Inf.Div.
Abt. Ia

Div.Gef.Std., den 19. 5. 1942

Divisionsbefehl für die Verteidigung am Donez

1. *Feind* ist über den Donez geworfen. Im Abschnitt der Division ist feindliche Artillerie nur im Raume Malaja–Jeremowka, dabei auch Salvengeschütze, aufgetreten. Im linken Abschnitt der Division nur vereinzelt Scharfschützen.

   Gegen Isjum führt der Gegner von Norden her stärkere Panzerverbände heran, mit deren Angriff aus der Enge von Isjum heraus ab 20. 5. 1942 gerechnet werden muß.

2. *101. le. Div.* richtet sich am Donez zur Abwehr ein und verteidigt das Westufer und das Höhengelände westlich des Flusses. Sie baut beschleunigt die Stellungen aus und verhindert durch ständige, lückenlose Überwachung des Flußlaufes, daß jeder Versuch, selbst kleinster Einheiten, über den Fluß zu kommen, sofort erkannt und zerschlagen wird. Die Säuberung des diesseitigen Ufers von restlichen Feindteilen ist abzuschließen.

3. *Gliederung:*

   Rechts Jäg.Rgt. 228, Schwerpunkt im Raume um Studenok.
   Links Jäg.Rgt. 229, Schwerpunkt im Raume um Ssenitscheno.
   Trennungslinie: 218,1 – 199,7 (229) – Westrand Bol. Jeremowka.

4. *Trennungslinien zu den Nachbarn:*

   Rechts zu 257. Div. Waldecke 1 km nordwestlich 200,7 – Donezknie 2,5 km nordostwärts 200,7 – Eisenbahngabel 1,5 km nordwestlich Sswjatogorskaja.
   Links zu 97. le. Div. (zugleich zum XXXXIV. A.K.) zunächst noch Golaja Dolina-West (97.) – Tichozkij (101.) – Bachlauf bis Schewtschenko (101.).

5. *Kampfaufträge:*

   a) *Jäg.Rgt. 228,* verst. durch 2./Pi.Batl. 101, verteidigt im Anschluß an rechten Nachbarn den Donez beiderseits Studenok. Es kommt darauf an, daß besonders an den Stellen, an denen ein unbemerkter Uferwechsel des Gegners erfolgen kann, ferner an den bekannten Fährstellen und an Ausmündungen von Schluchten, verläßliche Sperren und Sicherungen eingesetzt werden.

   Studenok selbst ist soweit als möglich zu räumen. HKL der Donez. Jeglicher Versuch des Gegners, durch Angriff über den Donez beiderseits Studenok sich einen Brückenkopf zu schaffen, ist durch zusammengefaßtes Feuer aller Waffen zu zerschlagen, eingebrochene Feindteile durch Gegenstöße in den Fluß zu werfen.

   b) *Jäg.Rgt. 229,* verst. durch 3./Pi.Batl. 101, verteidigt mit zwei Bataillonen den Donez beiderseits Ssenitscheno. Ein Einsickern des Gegners am Donezknie hart ostwärts Schewtschenko in die Bachniederung muß verhindert werden.

   Ein Bataillon ist im Raum Tichozkij zur Verfügung der Division bereitzuhalten. Einsatzmöglichkeiten in Richtung Studenok, Ssenitscheno und Schewtschenko und westlich sind zu erkunden.

6. *Artillerie:*

   Es werden angewiesen:

   II./Art.Rgt. 85 auf Jäg.Rgt. 228,

   III./Art.Rgt. 85 auf Jäg.Rgt. 229.

   Als Schwerpunktgruppe unmittelbar unter Kdr. Art.Rgt. 85 IV./Art.Rgt. 85 mit unterstellter 4./Art.Rgt. 53. Sperrfeuer, Feuerzusammenfassungen auf feindliche Bereitstellungs- und Angriffsräume (Fährstellen, Furten) sind vorzubereiten. Vor die Nahtstellen nordwestlich Bogoroditschnoje und ostwärts Schewtschenko muß das Feuer möglichst vieler leichter und schwerer Batterien zusammengefaßt werden können. Durch Ausscheiden eines seitlichen Beobachters in den Raum westlich von Bogoroditschnoje ist sicherzustellen, daß der Flußlauf unterhalb Studenok flankierend beobachtet werden kann.

Desgleichen muß sichergestellt werden, daß Beobachtung vor die Flügel der Nachbarn (linker Flügel 257. Div. bei Bogoroditschnoje und rechter Flügel 97. le. Div. ostwärts und südostwärts Kamenka) möglich ist.

7. *Pi.Batl. 101* (ohne 2. und 3. Kp.) führt, soweit möglich, im ganzen Divisionsabschnitt Verminungen durch und steht darüber hinaus der Division für besondere pioniertechnische Aufgaben zur Verfügung.

8. *Pz.Jäg.Abt. 101* schützt in Gegend 200,5 (4 km südostwärts Kamenka) linken Flügel gegen mögliche feindliche Panzervorstöße. Erkundung und Vorbereitung weiterer Panzerabwehr-Riegel in Gegend Punkt 218,1 und hart südostwärts Ssissinki ist in unmittelbarem Einvernehmen mit Art.Rgt. 85 und Jäg.Rgt. 229 durchzuführen. Panzerabwehr im ganzen Divisionsabschnitt ist zu überprüfen, Ausgleiche im Auftrag der Division sind zu treffen und Panzerabwehrplan ist vorzulegen.

9. *Radf.Abt. 101* säubert zunächst Waldgebiet nördlich Golaja Dolina von Versprengten und steht dann als Divisionsreserve zur Verfügung der Division im Raume Golaja Dolina. Wegeerkundungen für Verschiebung der Abteilung in die Abschnitte der Jäg.Rgt. 228 und 229 sind vorzunehmen.

10. *Luftschutz:*

   a) Die ständigen starken Fliegerangriffe erfordern noch stärker als bisher eine weitgehende Zerlegung der marschierenden Kolonnen, vor allem der Trosse. Die Tarnung aller abgestellten Fahrzeuge ist von allen Vorgesetzten ständigen Überprüfungen zu unterziehen.

   b) Zwei le. Flakzüge der 2./Fla 66 werden zum Schutz der Artilleriestellungen im Raum südlich und ostwärts Tichozkij, ein le. Flakzug im Raum südostwärts Studenok eingesetzt.

   c) Außerdem wird längs der großen Straße Sslawjansk, Isjum der Luftschutz durch leichte und schwere Flakbatterien durchgeführt.

11. Das Sauberhalten der wenigen im Divisionsabschnitt befindlichen Brunnen und Wasserstellen durch alle Truppenteile ist
besonders wichtig und in den Regimentsabschnitten laufend
zu überprüfen.

12. *Nachr.Abt. 101* unterhält Drahtverbindung zu Jäg.Rgt. 228
und Jäg.Rgt. 229, Art.Rgt. 85 und Radf.Abt. 101; Funkverkehr zu Jäg.Rgt. 228 und Jäg.Rgt. 229, Art.Rgt. 85, Pz.Jäg.
Abt. 101, Radf.Abt. 101 und Pi.Batl. 101.
Sie bereitet nachrichtentechnische Einrichtung eines vorgeschobenen Divisionsgefechtsstandes in Gegend WW, 1 km
nordostwärts 218,1, vor.

13. *Divisionsgefechtsstand:* Golaja Dolina-Ost.

gez. *Diestel*

Verteiler: Jäg.Rgt. 228, Jäg.Rgt. 229,
Art.Rgt. 85, Radf.Abt. 101,
Pz.Jäg.Abt. 101, Pi.Batl. 101,
Pi.Batl. 213, Nachr.Abt. 101,
2./Flak 66, 7./Flak 24, 10./Flak 24,
1./Sturmgeschütz-Abt. 245, Abt. Ib, Ic,
IVa, IVb, IVc, IIa.

DIE WEHRMACHT IM KAMPF

Herausgeber: Hermann Teske, Oberst i. G. a. D.

Band 9/1956

Wilhelm Heß, Oberst i. G. a. D.: **Eismeerfront 1941.** 8°, 170 Seiten, 2 Gliederungsskizzen, 20 Karten, 10 Federzeichn.

Osten / Angriff

Geb.A.K.Norwegen

Band 10/1956

Horst Scheibert, Major: **Nach Stalingrad – 48 Kilometer!** – Der Entsatzvorstoß der 6. Panzerdivision / Dezember 1942. 8°, 160 Seiten, 16 Kartenskizzen.

Osten / Abwehr

6. Pz.Div.

Band 11/1956

Hermann Hoth, Generaloberst a. D.: **Panzer-Operationen** – Die Panzergruppe 3 und der operative Gedanke der deutschen Führung, Sommer 1941. / 8°, 168 Seiten, 16 Kartenskizzen.

Osten / Angriff

Pz.Gr. 3

Band 12/1957

Assmann, Kurt, Vizeadmiral a. D.: **Deutsche Seestrategie in zwei Weltkriegen.** 8°, 216 Seiten, 4 Kartenskizzen.

Marine

Band 13/1957

Melzer, Walther, General d. Inf. a. D.: **Albert-Kanal und Eben-Emael.** 8°, 141 Seiten, 5 Federzeichnungen, 14 Kartenskizzen, 5 Gliederungsskizzen.

Westen / Angriff

4.Pz.Div./VII.Fl.K.

Band 14/1957

Buchner, Alex, Oblt. a. D.: **Der deutsche Griechenlandfeldzug** – Operationen der 12. Armee 1941. 8°, 212 S., 16 Karten, 8 Ansichtsskizzen, 3 Gliederungsskizzen.

Südosten/Angriff

12. Armee

Band 15/1957

Hans Steets, Generalmajor a. D.: **Gebirgsjäger zwischen Dnjepr und Don** – Von Tschernigowka zum Mius – Oktober/ Dezember 1941. – 8°, 160 S., 19 Karten, 3 Gliederungsskizzen.

Osten/Angriff

XXXXIX. Geb-A.K.

Band 16/1958

Hans Kissel, Generalmajor a. D.: **Angriff einer Infanteriedivision** – Der Durchbruch der 101. le. Inf.Div. durch die russische Winterstellung südlich Charkow, Mai 1942. – 8° 144 S., 1 Gliederungs-, 10 Textskizzen.

Osten / Angriff

101. le. Inf.Div.

Jedes Vierteljahr folgt ein weiterer Band

HEINZ GUDERIAN

Erinnerungen eines Soldaten

Großformat, 464 Seiten, 39 Karten, 23 Abbildungen
Leinenband DM 20,—

Familie und Jugend – Die Entstehung der deutschen Panzertruppe –
Hitler auf dem Gipfel der Macht – Der Beginn der Katastrophe – Der
Feldzug im Westen – Der Feldzug in Rußland 1941 – Außer Dienst –
Die Entwicklung der Panzerwaffe Januar 1942 bis Februar 1943 – Ge-
neralinspekteur der Panzertruppen – Der 20. Juli 1944 und seine Folgen
– Chef des Generalstabes – Der endgültige Bruch – Die führenden Per-
sönlichkeiten des Dritten Reiches – Der deutsche Generalstab

*

HERMANN TESKE

Die Silbernen Spiegel

Generalstabsdienst unter der Lupe

Gr. 8°, 268 Seiten, 20 Karten
Leinenband DM 18,—

Geist und Wesen des deutschen Generalstabes – Die Entwicklung des
Gehorsamsbegriffes – Lehrzeit auf der Kriegsakademie – Gesellenzeit im
Truppengeneralstab – Die erste Probe (Herbst 1939) – Erste Bewäh-
rung des investierten Kapitals (1940) – Auswertung – Neue Aufgaben –
Umschulung – Aufmarsch gegen Rußland – Kampf gegen Raum und
Zerstörung – Ein Jahr beim finnischen Generalstab – Letztes Aufbäumen
gegen das Schicksal – Rückzug und Räumung – Epilog

KURT VOWINCKEL VERLAG · HEIDELBERG

HANS KISSEL

Angriff
einer Infanteriedivision

Die 101. leichte Infanteriedivision in der

Frühjahrsschlacht bei Charkow Mai 1942

Das Werk zeigt in knapper, aber lebendiger Form und mit allen Unterlagen den Angriff einer Infanteriedivision in Rußland 1942.

Da dieser Angriff begrenzte Zielsetzung hatte und binnen weniger Tage durchgeführt wurde, konnte er umfassend dargestellt und – Wesenszug dieser Arbeit – kritisch ausgewertet werden.

So treten Planung, Ansatz der Truppen, die zahlreichen Schwierigkeiten und ihre Meisterung, die Möglichkeiten und die Unmöglichkeiten einer Führung von oben, vom Divisionsstab aus, plastisch in Erscheinung.

Es entstand so nicht nur ein Erinnerungsbuch an eine sehr kühne und erfolgreiche Operation – die Frühjahrsschlacht bei Charkow 1942 – sondern geradezu ein Lehrbeispiel für die taktische Führung von Verbänden im Rahmen einer Division.